KU-156-401

In einer beispiellosen Aktion wurden 1938/39 zehntausend jüdische Kinder nach England gebracht, wo ihre Eltern sie vor den Verfolgern in Nazi-Deutschland in Sicherheit wußten. Die Geretteten, von denen höchstens ein Drittel die Eltern nach dem Krieg wiedersah, sind heute zwischen sechzig und siebzig Jahre alt. Die Initiative, der sie ihre Rettung verdanken und die den Namen »Kindertransport« trägt, ist bis heute kaum bekannt. Dieses Buch enthält neben einer Einleitung, die über die Organisation und den Ablauf der Rettungsaktion Aufschluß gibt, etwa vierzig Berichte von ehemaligen »Kindern«, die sich an jüdisches Leben vor dem Holocaust, an die Trennung von ihren Eltern und an die Ankunft in einem ihnen völlig unbekannten Land erinnern. Sie erzählen von ihren Erlebnissen, die bis heute Spuren in ihrem Leben hinterlassen haben, von ihren Schuldgefühlen denen gegenüber, die sie zurückließen und die schließlich umgekommen sind, aber auch von ihrer Dankbarkeit gegenüber den Engländern, die ihnen Asyl gewährten und ein neues Zuhause gaben. Sie alle verkörpern ein bisher unberücksichtigtes Kapitel jüdischer Emigration aus Nazi-Deutschland: die Erfahrungen wehrloser Kinder, die in einem fremden Land und in einer neuen Umgebung ganz ohne Familienangehörige aufwachsen mußten.

Rebekka Göpfert, 1965 geboren, ist gelernte Verlagsbuchhändlerin und studierte Sozial- und Wirtschaftsgeschichte in München. Sie arbeitet als Lektorin und schrieb ihre Dissertation über die Geschichte der Kindertransporte.

Ich kam allein

Die Rettung von
zehntausend jüdischen Kindern
nach England 1938/39

Herausgegeben von
Rebekka Göpfert

Mit 14 Schwarzweißfotos

Aus dem Englischen von
Susanne Röckel

Deutscher Taschenbuch Verlag

Die Beiträge dieses Buches sind eine Auswahl aus dem englischen Originalband ›I came alone. The Stories of the Kindertransports‹, der von Bertha Leverton und Shmuel Lowensohn herausgegeben wurde und 1990 bei The Book Guild, Lewes, England, erschienen ist.

Deutsche Erstausgabe
1. Auflage November 1994
2. Auflage März 1997
Deutscher Taschenbuch Verlag GmbH & Co. KG, München

Titel der englischen Originalausgabe:
I came alone. The Stories of the Kindertransports
The Book Guild Ltd, Lewes, England
ISBN 0-86332-566-1

Umschlagkonzept: Balk & Brumshagen
Umschlaggestaltung: Klaus Meyer, Helmut Gebhardt
Umschlagabbildung: Hulton Deutsch Collection (unten)
Gesamtherstellung: C.H. Beck'sche Buchdruckerei, Nördlingen
Gedruckt auf säurefreiem, chlorfrei gebleichtem Papier
Printed in Germany · ISBN 3-423-30439-1

Inhalt

Zur deutschen Ausgabe

Meine Geschichte werden Sie etwas weiter hinten in diesem Buch finden – an dieser Stelle möchte ich Ihnen nur kurz schildern, bei welcher Gelegenheit die Idee zu dem Buch ›I came alone‹ (so der Titel der englischen Originalausgabe) entstand. 1988 organisierte ich eine Zusammenkunft von Flüchtlingen, die fünfzig Jahre zuvor mit den Kindertransporten nach England gekommen waren. Über tausend ehemalige »Kinder« nahmen daran teil – es war ein sehr bewegendes Ereignis.

Seither gibt es auch ein Büro, das ich zusammen mit meiner guten Freundin Rita Rosenduft eingerichtet habe und das den Namen »Reunion of the Kindertransport« trägt. Unser Symbol ist ein Schiff, da wir alle mit Schiffen in England ankamen. Wir führen eine Kartei, die mittlerweile etwa viertausend Adressen (von insgesamt zehntausend »Kindern«) in der ganzen Welt umfaßt. Regelmäßig verschicken wir Rundbriefe an sie, die Suchmeldungen, Geburtstagsgrüße (und leider auch immer wieder Todesanzeigen) sowie Nachrichten verschiedenster Art enthalten.

Ich freue mich ganz besonders, daß eine Auswahl aus unserem Buch ›I came alone‹ nun auch auf deutsch erscheint, so daß unsere Erlebnisse auch dort bekannt und erinnert werden, woher wir ursprünglich stammen.

London, Sommer 1994 — Bertha Leverton

Der jüdische Kindertransport von Deutschland nach England 1938/39

Am 2. Dezember 1938 erreichte eine Fähre aus Deutschland die englische Küste bei Harwich. Einhundertsechsundneunzig Kinder, nur mit spärlichem Gepäck versehen und von einigen Betreuern statt von ihren Eltern begleitet, entstiegen dem Schiff. Sie hatten eine lange Reise hinter sich: Mehr als dreißig Stunden zuvor waren sie von Berlin aus mit dem Zug aufgebrochen, hatten Holland bis an die Nordseeküste durchquert und waren dort auf die Fähre umgestiegen, die sie schließlich nach Harwich bringen sollte.

Diesem Transport sollten noch viele weitere folgen. Zwischen Dezember 1938 und September 1939, dem Ausbruch des Zweiten Weltkrieges, der der Aktion ein plötzliches Ende setzte (nach Kriegsausbruch erreichte nur noch ein Kindertransport im Mai 1940 England), konnten etwa zehntausend jüdische Kinder – allerdings ohne ihre Eltern – aus Deutschland, Österreich, der Tschechoslowakei und Polen nach England emigrieren. Damit war Großbritannien das Land, das bei weitem die größte Anzahl von jüdischen Kindern aufnahm, die zwischen 1933 und 1945 vor dem Nationalsozialismus fliehen mußten. Zum Vergleich: Die USA nahmen im gleichen Zeitraum zweitausend unbegleitete Kinder auf. Unter der Gesamtzahl der nach England emigrierten Juden nimmt der Kindertransport ebenfalls einen besonderen Platz ein: Von den insgesamt etwa sechzigtausend der zwischen 1933 und 1945 aus Deutschland und Österreich nach Großbritannien geflohenen Juden war immerhin ein Sechstel mit den Kindertransporten gekommen. Von den zehntausend Kindern haben die wenigsten ihre Eltern wiedergesehen.

1938 war das Jahr, in dem die nationalsozialistische Verfolgung der Juden in Deutschland ihren vorläufigen

Höhepunkt vor dem Zweiten Weltkrieg erreichte. Die Flucht wurde für viele zur immer dringenderen Notwendigkeit, aber Paß und Visum waren oft nur schwer zu bekommen. Doch wenn schon die Erwachsenen nicht ausreisen konnten, so wollte man wenigstens versuchen, die Kinder zu retten. Ein ursprünglicher Plan der Jewish Agency, die sich um die Emigration von Juden aus Deutschland kümmerte, hatte vorgesehen, jüdische Kinder nach Palästina in Sicherheit zu bringen, doch die britische Regierung, unter deren Protektorat Palästina damals stand, hatte abgewehrt: Mit Rücksicht auf die arabischen Nachbarn wollte man keine weiteren jüdischen Flüchtlinge ins Land lassen.

Da immer schrecklichere Nachrichten aus Deutschland drangen und schließlich die Berichte über die Verwüstungen und Erniedrigungen der »Reichskristallnacht« in der Nacht vom 9. auf den 10. November 1938 das Ausland erreichten, wurden auch in Großbritannien die Stimmen lauter, die die Regierung zum Handeln aufforderten. So debattierte am 16. November 1938 das englische Kabinett unter dem Vorsitz von Neville Chamberlain über die Aufnahme jüdischer Kinder und beschloß noch am selben Tag, eine unbestimmte Anzahl von verfolgten Kindern aus Deutschland einreisen zu lassen. Einzige Bedingung für das Visum war eine Garantiesumme von fünfzig englischen Pfund pro Kind, die entweder von bereits in Großbritannien lebenden Verwandten oder von einer der Organisationen, die an der Aktion beteiligt waren, gestellt werden mußte. Mit diesem Geld sollte eine eventuelle Emigration in ein Drittland finanziert werden, da die Regierung bei ihrer Entscheidung zunächst davon ausging, daß England für die meisten Kinder nur eine Zwischenstation war.

Sobald die britische Regierung ihr Plazet gegeben hatte, begannen die Vorbereitungen für den ersten Transport. Holland hatte sich bereit erklärt, vorübergehend Asyl zu gewähren, damit die Kinder unbehelligt durch das Land reisen konnten. Und so verließ am Abend des 30. November der erste Zug mit einhundertsechsundneunzig Kindern aus einem Waisenhaus, das am 9. November in Brand gesetzt worden war, Berlin. Um den Verwaltungsaufwand möglichst gering zu halten, hatte England versprochen, auf die Vorlage eines Passes für jedes einzelne Kind zu verzichten und sich mit dem Abstempeln einfacher Reisepapiere zu begnügen. Nun war es notwendig, auch in Deutschland eine umfassende Ausreisegenehmigung für alle mit dem Kindertransport ausreisenden Kinder zu erhalten, um nicht jedesmal neue Anträge stellen zu müssen und damit immer wieder der Behördenwillkür ausgeliefert zu sein. Zu diesem Zweck reiste am 2. Dezember 1938 Gertrud Wejsmuller-Meijer, eine holländische Bankiersfrau, die sich auch weiterhin mit großem Engagement um die Organisation der Kindertransporte kümmerte, nach Wien, um dort mit Adolf Eichmann, dem Leiter des Judenreferats im Reichssicherheitshauptamt, zu sprechen. Eichmann gestattete zunächst lediglich die Ausreise von sechshundert Kindern – unter der Bedingung, daß sie Wien bis zum folgenden Samstag verlassen haben mußten, dem Tag also, an dem nach jüdischem Glauben das Reisen nicht erlaubt ist. Später erhielten auch die anderen Transporte Eichmanns Genehmigung.

Innerhalb von nur vier Tagen mußten sämtliche Vorbereitungen getroffen werden: Die Komitees in England wurden über die Ankunft von fünfhundert Kindern informiert (die restlichen hundert Kinder blieben in Holland), damit sie ihrerseits Vorbereitungen für Unterkunft und weitere Versorgung treffen konnten. Ein Zug und Plätze auf der Fähre wurden reserviert. Und – die Kinder mußten ausgewählt werden. In Deutschland übernahm dies in der Regel die Reichsvertretung der Juden; in Österreich war die Kultusgemeinde in Wien dafür zuständig. Für die Auswahl der Kinder gab es keine festgelegten Regeln; grundsätzlich jedoch sollten vor allem ältere Kinder in Sicherheit gebracht werden, deren Eltern bereits von den Nazis verhaftet worden waren und die daher selbst von einer Verhaftung bedroht waren. Auch einige Kinder, die bereits interniert und wieder freigelassen worden waren, wurden so schnell wie möglich auf den Transportlisten eingeschrieben. Damit Geschwister in der Fremde zusammenbleiben konnten, versuchten deren Eltern, ihre Kinder gemeinsam auf die Reise zu schikken, doch nicht immer war dies möglich. In einigen Fällen konnten Geschwister zwar im selben Transport fliehen, wurden dann aber bei ihrer Ankunft in England getrennt.

Zu Hause galt es, die nötigsten Dinge einzupacken: Kleidung, und zwar so viel wie möglich, dazu kamen vielleicht noch das Lieblingsstofftier und eine Fotografie oder ein anderes Andenken an die zurückgelassene Familie. Bisweilen wanderte, in der Hoffnung, daß Kinder nicht so streng durchsucht würden wie Erwachsene, noch etwas Schmuck oder Geld in das Gepäck, für Verwandte oder Freunde im Ausland oder einfach als kleine Sicherheit für noch schwerere Zeiten. Diese Reisevorbereitungen mußten meist in größter Eile erfolgen, da die Aufnahme von Kindern auf die Liste der Ausreisenden nur sehr kurzfristig festgelegt werden konnte; dann blieben nur wenige Tage, um Abschied zu nehmen. Manche Eltern brachten es nicht über sich, ihren Kindern von der bevorstehenden Trennung zu erzählen – aus Angst, daß die Nazis in letzter Sekunde doch noch die Ausreise verweigerten, oder einfach nur, um ihre Familie nicht zu früh zu beunruhigen –, und so wunderten sich die Kinder über die plötzliche Ernsthaftigkeit der Eltern, die noch erschreckender war als die sonst schon übliche gedrückte Stimmung.

Schließlich kam die Stunde des Abschieds: der Bahnhof, schreiende Kinder, die nicht von ihren Eltern getrennt werden wollten, weinende Familienangehörige, vor allem Väter und Mütter, die nicht wußten, ob und wann sie ihre Kinder wiedersehen würden. Bewacht wurde diese traurige Szene von Männern in Uniform. Da dies alles unter Ausschluß der großen Öffentlichkeit vor sich gehen sollte, durften die Eltern nicht mit auf den Bahnsteig kommen, sondern mußten sich bereits in einer Wartehalle von ihren Kindern trennen. Noch eine Umarmung, dann wurden die Kinder von den Begleitern auf den Bahnsteig gebracht und in den Zug gesetzt. Für viele Kinder ist der Blick auf die Eltern, die ihnen aus dem Wartesaal zuwinken, das letzte Bild, das ihnen von ihren Vätern und Müttern geblieben ist und das sie ihr ganzes Leben lang nicht vergessen haben.

Schließlich setzte sich der Zug in Bewegung. Die erwachsenen Begleiter bemühten sich, die Kinder zu beruhigen, mit ihnen zu spielen oder zu singen und die jüngeren zum Schlafen zu bringen, und auch untereinander versuchten die Kinder, sich zu trösten und aufzumuntern. Die Reise ist den Kindern auf unterschiedliche Weise in Erinnerung geblieben: Die einen empfanden Trauer und Schreck über den Abschied und Angst vor der unbekannten Zukunft; die anderen waren erleichtert, der ständigen Bedrohung und den erlittenen Erniedrigungen zu entgehen. Für viele war allerdings die Fahrt – mit Zug und Schiff – ein aufregendes Erlebnis.

In Harwich, dem Ankunftshafen, wurde die Fähre von wartenden Helfern in Empfang genommen und die Kinder zunächst in einem leerstehenden Ferienheim im benachbarten Dovercourt untergebracht. Jene Kinder, die auch während des Winters dort blieben, erinnern sich fast alle an die entsetzliche Kälte, die geherrscht haben muß, da die Schlafräume keine Heizung hatten. Im großen Speisesaal – der zum Glück beheizbar war – wurden die Kinder mit ihrer ersten englischen Mahlzeit versorgt.

Da immer wieder neue Transporte aus Deutschland erwartet wurden und Platz für die Neuankömmlinge geschaffen werden mußte, war es nötig, für die Kinder so bald wie möglich ein neues Zuhause zu finden. Aufgerüttelt durch die Presse hatten zahlreiche – jüdische und nichtjüdische – Familien in England angeboten, Kinder bei sich aufzunehmen. Doch obwohl die Bereitschaft, ein oder sogar mehrere Kinder aus Deutschland zu beherbergen, erstaunlich groß war, konnten längst nicht alle Neuankömmlinge in Familien untergebracht werden. Die Erinnerungen an das Auswahlverfahren gleichen häufig der Schilderung eines Viehmarktes: Meistens während der Mahlzeiten im Speisesaal kamen die potentiellen Pflegeeltern und suchten die Kinder aus, die bei ihnen leben sollten. Je jünger die Kinder waren, desto größer war ihre Chance, einen Platz in einer Pflegefamilie zu finden. Und gerade blonde, blauäugige Mädchen – im Sinne der Naziideologie »arisch« aussehend – wurden von den neuen Pflegeeltern bevorzugt ausgewählt; dagegen war es viel schwieriger für dunkelhaarige, größere Jungen, in einer Familie unterzukommen. Die Kinder, die sozusagen übrigblieben, wurden in verschiedenen Heimen, über ganz Großbritannien verstreut, untergebracht: in leerstehenden Schullandheimen, in Pensionen und sogar in kleinen Schlössern, die einige englische Adelige zur Verfügung gestellt hatten; darunter waren auch Heime, die von Youth Aliyah unterhalten wurden, einer Organisation, die die Einwanderung von Jugendlichen nach Palästina vorbereitete.

Die Aktivitäten in England wurden größtenteils vom eigens gegründeten Movement for the Care of Children from Germany (das später in Refugee Children's Movement umbenannt wurde) und vom Jewish Refugees' Committee geleitet. Diese Organisationen unterhielten lokale Subkomitees, die die Unterbringung der Kinder jeweils vor Ort überwachten. Marks & Spencer – ein noch heute bekanntes und renommiertes Warenhaus – gab kostenlos Kinderkleidung und Nahrungsmittel an das Movement for the Care of Children from Germany aus. Auch nichtjüdische Organisationen leisteten großzügig Unterstützung; allen voran zu nennen sind die englischen Quäker, die bei der Unterbringung und Versorgung der Kinder halfen. Ein von dem ehemaligen Premierminister Lord Baldwin in der ›Times‹ und über Rundfunk verbreiteter Spendenaufruf an die englische Bevölkerung brachte fünfhunderttausend Pfund ein – zu dieser Zeit ein beachtlicher Betrag. Fast die Hälfte des Baldwin-Fonds wurde den Organisatoren der Kindertransporte zur Verfügung gestellt.

Die neue Umgebung bedeutete für die Kinder eine enorme Umstellung, die sie nun ohne den vertrauten Beistand ihrer Eltern bewältigen mußten. Das Essen war ungewohnt, die Menschen sprachen in einer unbekannten Sprache, die Sitten und Umgangsformen waren fremdartig und irritierend. Weil viele der deutschen Vornamen in England unbekannt waren, wurden manche Kinder mit einem anderen, englischen Namen versehen. Einige Kinder hatten große Schwierigkeiten in ihrer neuen Familie, wurden als billiges Dienstpersonal benutzt oder vernachlässigt. Die meisten Verfasser der vorliegenden Berichte jedoch erinnern sich gerne an ihre ehemalige Pflegefamilie, und einige haben heute noch Kontakt zu ihr. Schwierigkeiten ergaben sich auch aus der Tatsache, daß längst nicht alle Pflegefamilien jüdischen Glaubens waren. Kinder, die aus einem sehr religiösen Elternhaus stammten, waren plötzlich gezwungen, nichtkoschere Nahrung zu essen, und der Sabbat als Feiertag wurde nicht mehr begangen – die Traditionen, nach denen sie, ihre Eltern, Großeltern und alle anderen Vorfahren gelebt hatten, waren mit einem Schlag aus ihrem Alltag gestrichen. Die beteiligten Organisationen bemühten sich, zumindest in größeren Ortschaften eine Schul einzurichten, in der die Jungen unterrichtet und auf ihre Bar Mizwa vorbereitet werden konnten und in der samstags Gottesdienst gehalten wurde.

Mit Ausbruch des Krieges ergaben sich für die Kinder weitere Veränderungen: Diejenigen, die mittlerweile sechzehn Jahre alt waren, wurden umgehend als »enemy alien« interniert, meist auf der Isle of Man – aus Deutschland hatte man sie vertrieben, weil sie nicht »deutsch« genug waren, und in Großbritannien sperrte man sie nun ein, weil sie Deutsche waren. Als später die Bomben des »Blitz« über London und anderen englischen Städten niedergingen, wurden viele Kinder – deutsche wie englische – aufs Land evakuiert. Für die deutschen Kinder bedeutete dies ein erneutes Verlassen einer Umgebung, die ihnen mittlerweile vertraut geworden war.

Zu allen Bedrohungen kam die schlimmste Sorge: die Unsicherheit über das Schicksal der zurückgelassenen Angehörigen. Einigen Eltern gelang es, aus Deutschland zu fliehen und mit ihren Kindern Verbindung aufzunehmen; das Wiedersehen war aber nicht immer einfach, besonders wenn sich inzwischen ein inniges Verhältnis zur Pflegefamilie entwickelt hatte. Andere Kinder erhielten irgendwann keine Nachricht mehr von zu Hause oder aber einen Brief von Verwandten, der ihnen den Tod der Eltern mitteilte. Viele Kinder waren beim Abschied am Bahnhof noch zu klein gewesen, um sich an ihre Eltern zu erinnern, und sie wissen heute nicht mehr, wie sie ausgesehen oder wie ihre Stimmen geklungen haben. Doch gerade das Gedenken der Toten und die Erinnerung an sie spielen in der jüdischen Tradition eine besonders wichtige Rolle, und wenn weder Ort noch Datum des Sterbens bekannt sind und kein Grab existiert, dann bleibt es das ganze Leben lang schwierig, über den Verlust der Eltern und anderer Familienangehöriger zu trauern. Dazu kommen die Schuldgefühle, die bis heute diejenigen quälen, die überlebt haben, während andere Familienmitglieder von den Nazis ermordet wurden. Diejenigen, deren Eltern den Holocaust im Versteck oder im Lager überlebt hatten, mußten mit anderen Problemen kämpfen: Die Kinder hatten inzwischen Fuß gefaßt in England, waren vielleicht sogar Teil ihrer Pflegefamilie geworden, und sollten nun plötzlich wieder mit ihren Eltern zusammenleben, die ihnen in den langen Jahren der Trennung fremd geworden waren.

Die »Kinder« – wie sie sich immer noch, auch auf englisch, selbst bezeichnen – sind heute zwischen sechzig und siebzig Jahre alt; viele haben später eine neue Familie gegründet, sind selbst Eltern und Großeltern geworden. Einige sind nach Israel gegangen; ein kleinerer Teil ist in die USA, nach Kanada und Australien weitergewandert; der größte Teil ist in Großbritannien geblieben. Ganz wenige »Kinder« sind nach Deutschland zurückgekehrt.

Im Dezember 1988 organisierte Bertha Leverton, selbst im Alter von fünfzehn Jahren mit einem Kindertransport aus München geflohen, die ›Reunion of the Kindertransport‹, die in Harwich, dem Ankunftshafen in England, stattfand. An dieser Veranstaltung nahmen über tausend ehemalige »Kinder« teil; viele trafen sich hier zum ersten Mal nach langen Jahren wieder und konnten gemeinsame Erinnerungen und Neuigkeiten austauschen. Gerade die »Kinder«, die ihre Familie verloren hatten, konnten feststellen, daß sie nicht alleine sind mit ihrem Schicksal und daß es andere gibt, die ihre Erfahrungen teilen: Die Flucht aus Deutschland, die Erinnerung an die zurückgelassene Familie und die gemeinsame jüdische Tradition schaffen eine Identität, auf die sich alle berufen können.

Bertha Leverton hat mittlerweile ein kleines Büro in London eröffnet, das zu einer wichtigen Informationszentrale mit einer regelmäßig erscheinenden Zeitung geworden ist. Sie hilft den »Kindern« bei der Suche nach ihrer Herkunft in Deutschland, nach Namen sowie Geburts- und Todesdaten ihrer (ihnen zum Teil fast unbekannten) Eltern und anderer Familienangehöriger. Für ihr Engagement wurde Bertha Leverton zu ihrem siebzigsten Geburtstag mit dem Bundesverdienstkreuz ausgezeichnet. 1990 erschien als Frucht ihrer Aktivitäten ›I came alone‹, ein Band mit etwa zweihundertvierzig Berichten ehemaliger »Kinder« und einigen Texten von ihren Eltern, ihren Nachkommen und ihren Begleitern.

In dem vorliegenden Band ist eine Auswahl aus ›I came

alone‹ versammelt, die deutlich machen soll, was die Erfahrung der Flucht für die Erinnerungen der »Kinder« und für ihre Lebensläufe bedeutet hat und noch immer bedeutet. Um die Texte, deren Autoren häufig zum erstenmal ihre Erinnerungen aufgeschrieben haben, für sich selbst sprechen zu lassen, wurde auf Kürzungen und sprachliche Bearbeitungen weitgehend verzichtet.

Ihre Verfasser sind heute die letzten Überlebenden, die noch Zeugnis geben können von jüdischem Leben in Deutschland und Österreich vor dem Holocaust und von ihren Erfahrungen unter Hitler, von Erniedrigungen und Beschimpfungen, deren Grund sie zunächst oft nicht verstanden, vom Abtransport von Nachbarn und Familienangehörigen bis hin zum Abschied von den eigenen Eltern und der Ausreise in ein unbekanntes Land.

Ein »Kind« sagt heute über den Abschied von seinen Eltern vor mehr als fünfzig Jahren: »Sie haben mir zweimal das Leben geschenkt – erst bei meiner Geburt und dann noch einmal, als sie mich in eine unbekannte Zukunft ausreisen ließen.«

Rebekka Göpfert

Mary Arnold
(London)
Maria Griminger aus Wien

Ich bin am 24. Januar 1934 geboren, und ich war fünf Jahre alt, als ich nach England kam. In Wien wohnten wir in der Praterstraße 1. Diese Straße führte direkt zum Prater mit dem Riesenrad und den Karussells, wo immer die Musikkapellen spielten. Wir wohnten in einem dieser alten Häuser, und dort gab es eine Toreinfahrt, die in einen großen, offenen, gepflasterten Hof führte. Alle Wohnungen gingen auf diesen Hof. Wenn man durch den Torbogen ging und dann nach links, drei Treppen hoch, war da unser Zuhause. Wir lebten in einem einzigen Raum. Man öffnete die Tür und betrat einen kleinen Flur mit der Toilette, und dann kam noch eine zweite Tür; im Zimmer waren das Doppelbett meiner Eltern, mein Kinderbett, ein Tisch am Fenster, ein paar Stühle und ein Herd.

Wenn mein Vater da war, durfte ich immer auf seinen Knien reiten, und er sang und brachte mir Lieder bei. Er war ein wunderbarer Vater. Dann kam dieser Tag – es war ein Tag wie alle anderen. Mein Vater lehrte mich ein Lied, das ich nie vergessen habe. Immer wieder mußte ich es ihm vorsingen. Es ging so:

> Fur fur gesunterhajt, Got sol dich begliken,
> Solst du nit fargessen, a brifele zu schiken.

Er brachte mir auch ein wenig Polnisch bei. Ich sprach Deutsch und natürlich Jiddisch. Daheim haben wir nur Jiddisch gesprochen.

Meine Mutter hatte mir erzählt, wir würden nach Polen fahren, um eine Tante zu besuchen. Ich freute mich darauf. Ich wußte, daß Tak und Nie auf polnisch Ja und Nein heißen. Dann sagte mir mein Vater, wenn ich einmal Yes und No hören würde, würde das bedeuten, daß ich in England bin. Ich hatte keine Ahnung, warum er das sagte.

Am nächsten Morgen war alles wie sonst. Meine Mutter zog mich an, und dann klopfte es an der Tür. Es war eine meiner Tanten, sie kam mit uns. Mutter zog mir den Mantel über. Ich sagte meinem Vater auf Wiedersehen. Er stand am Herd. Er schien unendlich lange dort zu stehen und in seiner Teetasse zu rühren. Ich sagte noch einmal auf Wiedersehen, aber er gab keine Antwort und drehte sich nicht um. Ich stellte mich hinter ihn und wartete auf den Abschiedskuß, da drehte er sich herum, das Gesicht tränenüberströmt. Er küßte mich und konnte kein einziges Wort herausbringen. Ich umarmte ihn ganz fest – armer Papa! Ich konnte mir gar nicht erklären, warum er so traurig war. Er war doch sonst nie traurig! Dann gingen wir, meine Mutter, meine Tante und ich.

Als wir am Bahnhof ankamen, war alles voller Leute, man kam kaum vorwärts. Meine Tante nahm mich bei der Hand. Ich wußte nicht, wo meine Mutter war; sie hatte meine Hand losgelassen und schien verschwunden zu sein. Meine Tante drängelte sich mit mir durch die Menge und setzte mich in den Zug. Dann ging sie, ich war allein. Wo war meine Mutter? Der Zug war voller Kinder. Im Gang fand ich einen Platz am Fenster. Um hinausschauen zu können, mußte ich mich am Fensterrahmen hochziehen. Aber meine Mutter blieb verschwunden. Ich fing an zu weinen; der Zug setzte sich in Bewegung. Ich weinte und weinte, bis ich müde wurde und einschlief.

Als man uns weckte, war es dunkel, und wir gingen auf ein Schiff. Ich wusch mich und schlief, und als ich aufwachte, wußte ich nicht, daß wir über das Wasser gefahren waren. Eine Dame, die Deutsch sprach, nahm mich in Empfang. Ich fragte sie, ob sie mich mitnehme nach Hause, weil ich dachte, jetzt ginge es zurück nach Wien. Die Dame sagte, ja, sie nehme mich mit nach Hause, und ich würde meine Mutter wiedersehen. Da hörte ich auf zu weinen.

Wir fuhren mit dem Zug und gingen dann zu Fuß zu einem großen Haus. Eine Frau öffnete die Tür und ließ uns ein. Es gab Tee. Ich wollte die Hand der schönen Dame nicht loslassen. Ich hatte Angst, sie würde mich alleinlassen, aber sie versprach, bei mir zu bleiben, und ging mit mir in den Garten, wo es eine Schaukel gab. Ich schaukelte also eine Weile und kehrte dann ins Haus zurück. Da war sie weg.

Weil niemand sonst zu sehen war und die Tür offenstand, rannte ich hinaus auf die Straße. Ich wollte zum Bahnhof zurück, in den Zug steigen und heimfahren. Mittlerweile wußte ich, daß ich in England war, weil ich die Leute Yes und No sagen gehört hatte. Ich rannte die Straße entlang, aber die Frau vom Haus kam mir nach und brachte mich zurück. Sie war freundlich, und sie sprach Deutsch mit mir. Es klopfte an der Tür, und dann erschien eine kleine Frau mit kurzem, dunklem Haar, die ein Mädchen an der Hand führte. Es war ein wenig größer als ich. Ich wurde gefragt, ob ich mit ihr und ihrer Tochter kommen wolle.

Ihr Haus war ganz in der Nähe, aber es war nicht so groß wie das erste. Ich verstand nichts von dem, was sie sagten, und sie konnten kein Deutsch. Der Name der Frau war Margery Coles. Ich schlief mit Sonia, ihrer Tochter, in einem Zimmer. Am nächsten Morgen schaute ich als erstes, ob meine neuen Stiefel, die meine Mutter mir gekauft hatte, noch da waren. Sie waren nicht mehr da. Ich suchte überall und konnte sie nicht finden. Ich fragte Mrs. Coles, wo sie seien, und sie sagte, ich dürfe sie nicht behalten. Diese Schuhe habe ich nie mehr gesehen.

Am nächsten Tag lernte ich Mr. Coles kennen. Er war sehr nett. Ich saß auf seinen Knien und versuchte zu verstehen, was er sagte. Er hatte ein deutsch-englisches Wörterbuch in der Hand und mühte sich ab, mit mir zu sprechen.

Das Haus hatte einen Garten, und da gab es ein rotes Dreirad. Ich rannte hin und setzte mich drauf. Sonia sagte, ich dürfe nicht damit fahren. Aber ich wollte nicht absteigen, und da rannte sie zu ihrer Mutter, die gleich kam und mich herunterzog. Ein andermal bat mich Sonia, mit ihr zu spielen, aber ich wollte nicht. Aber ihre Mutter sagte, ich müsse mit Sonia spielen, wenn sie es wolle, ich sei doch hier als ihre Spielkameradin. Englisch lernte ich schnell, indem ich alles nachsagte, was Sonia sagte. Wenn sie sagte: »Good bye, Mummy«, sagte ich dasselbe, so daß ich diese Leute wirklich Mummy und Daddy nannte. Wie mißbrauchte ich diese kostbaren Namen!

Einmal kamen wir vom Spielen ins Haus; es war recht kalt, und wir waren beide hungrig. Der Tisch war zum Abendessen gedeckt, und wir setzten uns hin und aßen. Ich aß zwei Scheiben Brot. Gerade streckte ich die Hand nach der dritten Scheibe aus, als Mrs. Coles mich zurückhielt und sagte, ich dürfe abends nur zwei Scheiben Brot haben und morgens eine. Es war ungerecht, denn Sonia durfte soviel Brot essen, wie sie wollte. Da ich sehr hungrig war, schlich ich mich nachts in die Küche hinunter und stahl Brot, etwas Butter und Marmelade – sie haben es nicht bemerkt!

Die Schule fing an. Mrs. Coles brachte uns hin. Mein Platz war ganz hinten, weil ich noch nicht sehr gut Englisch konnte, und die Lehrerin gab mir Lesekarten, auf denen Gegenstände abgebildet waren mit ihren Bezeichnungen darunter. Keiner achtete darauf, was ich machte. Eines Tages, als wir von der Schule kamen, lief ein Junge hinter mir her, der auf mich zeigte und rief: »Die ist von den deutschen Juden!« Ich wußte nicht, was er damit meinte. Ich wußte nicht, was das war, deutsche Juden.

Mrs. Coles wurde ab und zu von einem sehr netten Mann besucht, der Deutsch sprach. Ich glaube, er kam vom Jewish Board of Refugees, aber damals wußte ich nichts von dieser Organisation. Mrs. Coles sagte, es sei ein Brief von meiner Mutter gekommen und sie habe diesen Mann geholt, damit er ihn mir vorlese. Offenbar bekam sie öfter Nachricht von meiner Mutter, aber bei den anderen Briefen war ihr die Mühe zu groß, jemanden zum Vorlesen zu holen. Nach meiner Heirat ging ich mit meinem Mann zu Mrs. Coles. Er drohte ihr mit der Polizei, und sie war so überrascht, daß sie ihm tatsächlich alle Briefe übergab, die sie noch hatte.

Sie war schrecklich. Eines Tages wollte ich nach der Schule mit Sonia zum Spielen gehen, da hielt sie mich zurück und sagte, ich sei nicht zum Vergnügen hier, und dann mußte ich ihr im Haus helfen. Hatte sie mich nicht kurz zuvor noch als Sonias Spielkameradin gewollt? Sie befahl mir, in die Küche zu gehen und Kartoffeln zu schälen. Das Wasser war eiskalt, und so ließ ich das warme Wasser laufen, um die Kartoffeln sauberzumachen. Das verbot sie mir. Ich mußte kaltes Wasser benutzen. Meine Finger wurden taub bei der Arbeit. Ich mußte auch den Tisch decken, und nach dem Abendessen mußte ich abspülen. Sonia war natürlich von all dem befreit.

Einmal sagte Sonia, ich solle mit ihr in den Garten kommen. Ich sagte, ich dürfe nicht spielen, ich müsse im Haus helfen. Sie versuchte, mich mit sich zu ziehen. Wir waren oben an der Treppe. Ich gab ihr einen Stoß, so daß sie die Treppe hinunterfiel. Dafür bekam ich Schläge von Mrs. Coles. Sie sagte, ich hätte zu tun, was Sonia mir befahl, aber ohne die Hausarbeit dabei zu vernachlässigen. Und dann gab sie mir ein Staubtuch und zeigte mir, wie ich abzustauben hatte. Als ich fertig war, ging sie mit dem Finger über alle Kanten, und natürlich war es ihr nicht sauber genug. So mußte ich mit der ganzen Arbeit noch einmal von vorn anfangen.

Jedesmal, wenn ich etwas tat, was Sonia nicht gefiel, schlug sie mich. Mittlerweile hatte ich wirklich Angst vor ihr. Ich war klein, und Sonia wuchs immer schneller. Eines Tages sagte Mr. Coles zu seiner Frau, sie behandle mich sehr schlecht und sie solle versuchen, etwas netter zu mir zu sein. Sie antwortete, er solle den Mund halten. Er war schwach. Er war auch nicht beim Militär. Samstags und sonntags mußte ich Tee machen und ihnen anschließend ans Bett bringen. Ich befürchtete immer, nicht früh genug aufzuwachen und den Tee nicht pünktlich zu bringen. Dann kam der Mann wieder, der Deutsch sprach, und verlangte, mich zu sehen. Mrs. Coles sagte, ich solle nach oben gehen und mich ja still verhalten, und ich hörte, wie sie ihm sagte, ich sei draußen mit Sonia beim Spielen. Er wußte nichts davon, daß ich die Hausarbeit zu machen hatte. Sooft er kam, wurde ich vor ihm versteckt.

Eines Tages las mir Mrs. Coles etwas vor, von dem sie behauptete, es sei ein Brief von meiner Mutter. Sie sagte: »Deine Mutter schreibt, sie hofft, daß du brav bist und gut arbeitest und immer tust, was Sonia dir aufträgt.« Das war natürlich alles frei erfunden, denn Mrs. Coles hätte einen Brief meiner Mutter ja gar nicht verstehen können.

Ich konnte damals noch nicht sehr gut lesen, auch nicht schreiben, weil ich einen Widerwillen gegen die Schule hatte. Ich machte mir große Sorgen um meine Eltern. Nachts im Bett weinte ich mich in den Schlaf. Ich hoffte, das alles würde nur ein böser Traum sein und ich würde eines Tages aufwachen und meine Mutter läge neben mir. Ich betete jeden Tag. Die Briefe meiner Mutter türmten sich in Mrs. Coles' Schlafzimmer zu einem Berg, das sah ich mit eigenen Augen; aber Mrs. Coles erzählte mir, es gebe keine Briefe. Hätte ich sie nur lesen können!

Dann fielen die Bomben, und Mrs. Coles sagte, ich würde zu einer Familie nach Bath kommen, den Bartletts. Mr. Bartlett war Polizist, und sie hatten eine Tochter in meinem Alter. Es waren sehr freundliche Leute. Ich ging dort zur Schule, und ich fühlte mich sehr wohl. Eines Tages wurde mir angekündigt, daß Mr. Coles kommen und mich wieder mitnehmen würde nach London. Ich sagte, ich wolle nicht weg. An dem Morgen, an dem Mr. Coles kam, weinte ich, weil ich nicht mit ihm gehen wollte. Auch Mrs. Bartlett und ihre Tochter weinten und baten Mr. Coles, mich bei ihnen zu lassen, aber er sagte, ich müsse mit nach London.

Dann war ich wieder bei den Coles, und das gefiel mir gar nicht. Wieder mußte ich die ganze Hausarbeit machen. Ich ging zu Mrs. Coles und bat sie, nicht so häßlich zu mir zu sein und so kalt. Sie nahm mich in den Arm, aber nur kurz; ich dachte schon, jetzt würde alles anders, aber bald zeigte es sich, daß ich mich täuschte. Warum mochte sie mich nicht? Warum behandelte sie mich so schlecht?

In dieser Zeit wurde ich Bettnässer, und sie weckte mich jede Nacht auf, wenn sie schlafen ging; ich mußte aufs Klo und durfte erst dann wieder ins Bett.

Als sie schwanger wurde, schickten sie mich in ein Heim in Hemel Hempstead. Ich haßte dieses Heim. Immer wieder bat ich darum, daß man mich woanders hinschickte, aber ich mußte sechs Monate dort bleiben. Dann kam ich wieder zu Mrs. Coles, und anschließend nach Tunbridge Wells, ins Beacon-Heim. Dort fühlte ich mich vom ersten Augenblick an wie zu Hause. Alle Mädchen kamen aus Deutschland oder Österreich, und sie waren alle Jüdinnen. Ich wußte nicht, daß ich Jüdin bin, ich fühlte einfach, daß ich zu ihnen gehörte. Zum erstenmal fühlte ich so etwas. Es waren ungefähr fünfunddreißig Mädchen da, und ich schlief mit sieben anderen zusammen in einem Schlafraum. Viele von ihnen sprachen Englisch mit deutschem Akzent. Die älteren redeten Deutsch miteinander. Mein Deutsch hatte ich mittlerweile schon ganz vergessen.

Ich wollte meine Geldschachtel mitnehmen, als ich von Mrs. Coles wegging. Aber sie nahm sie mir weg und sagte, das Geld sei für das Baby, obwohl es Geld war, das mir von Besuchern und Verwandten der Coles' geschenkt worden war. Sie sagte, es sei der Lohn dafür, daß sie mich all die Jahre bei sich behalten hatte. Ich hing sehr an meiner Geldschachtel und den paar Geschenken, die ich bekommen hatte, aber ich durfte nichts davon mitnehmen.

Die Jahre zogen vorbei, und ich ging nach London, wo ich dem bekannten Schauspieler Eddie Arnold begegnete. Er starb schon 1962 an einem Gehirntumor und ließ mich und unsere siebenjährige Tochter zurück.

Gerta Ambrozek
(New York)
Gerta Jassem aus Wien

Frühmorgens fuhr der Zug von Wien ab. Mein Vater hob meinen kleinen Koffer ins Gepäcknetz, und dann mußte er das Abteil verlassen. Alle Kinder drängten sich an den Fenstern, um noch einmal mit Eltern und Angehörigen zu sprechen. Überall wischten sich Leute die Augen, Verzweiflung und Hoffnungslosigkeit erfaßten die Zurückbleibenden. Aber wir begriffen das nicht wirklich. Das kleinste Kind war drei Jahre alt, das älteste vierzehn. Viele waren verwirrt, da sie nicht wußten, warum sie ihr Zuhause, ihre Eltern verlassen mußten, anderen schien es wie ein romantischer Aufbruch in ein fernes Märchenland. Wir alle hatten ja ein recht seltsames und klischeehaftes Bild von England; zum Beispiel stellten wir uns vor, daß alle Engländer angezogen seien wie Sherlock Holmes oder wie die sittsamen Mädchen im ›Tatler‹*. Unsere Eltern standen in kleinen Gruppen auf dem Bahnsteig zusammen. Es war uns nicht klar, warum ihnen die Tränen übers Gesicht liefen.

Zwei Monate zuvor hatte meine Schwester Lily in der Londoner ›Times‹ eine Stellenanzeige aufgegeben. Sie bekam Arbeit als Zimmermädchen und war mit einem anderen Mädchen abgefahren. Ihre Freundin arbeitete als Köchin. Keine von beiden hatte in ihrem Leben auch nur ein Ei gekocht oder ein Bett gemacht. Die einzige Vorbereitung auf ihr neues Leben bestand in ein paar privaten Englischstunden. Lily war es auch, die Pflegeeltern für mich suchte, indem sie wiederum eine Anzeige in der

* Mit einem * versehene Eigennamen oder Begriffe werden in den ›Namens- und Begriffserläuterungen‹ (S. 176 f.) in alphabetischer Reihenfolge erklärt.

›Times‹ aufgab. Es meldete sich ein älteres Paar, dessen erwachsene Kinder schon aus dem Haus waren.

Sechs Jahre vergingen, bis ich meine Eltern wiedersah. Als ich sie verlassen hatte, war ich ein Kind gewesen. Das nächstemal sahen sie mich als verheiratete Frau wieder.

Olga Drucker
(Merrick, USA)
Olga Lenk aus Stuttgart

Gestern hat sich die Welt verändert. Als Mama mich am Abend zudeckte, war ich die Prinzessin aus dem Märchen. Aber heute früh bin ich jemand anders. Ich bin ein ganz normales, zehn Jahre altes Schulkind, und das alles macht mir angst.

In der Nacht hörte ich laute Schritte, sie kamen die Treppe hoch, und dann hörte ich seltsame, barsche Stimmen. Türen schlugen zu. Und ich glaube, ich habe auch gehört, daß Mama leise weinte. Das hat mich mehr als alles andere erschreckt. Ich stopfte mir mein Taschentuch in den Mund und lag mucksmäuschenstill da. Was hatten diese Männer in unserem Haus zu suchen? Als sie weg waren, hatte ich noch mehr Angst. Die Tür öffnete sich, und ich sah Mama, die auf Zehenspitzen hereinkam. Ihre Hand auf meiner Stirn fühlte sich kühl an. Ich tat, als ob ich fest schliefe. Sie ging wieder hinaus und ließ die Tür angelehnt, so daß ich das Licht von draußen sehen konnte.

Am nächsten Morgen. »Wo ist Papa?« frage ich als erstes. Mamas Augen sind rot, sie sieht ganz verhärmt aus.

»Er... er mußte ganz schnell verreisen.« Es klingt falsch. Ich glaube ihr nicht.

»Wann kommt er zurück?« Ich weiß, daß ich nicht mit vollem Mund sprechen soll, aber sie bemerkt es gar nicht. Sie zuckt die Achseln und führt die Kaffeetasse zum Mund, so daß ich ihr Gesicht nicht mehr sehen kann. Ich weiß jetzt, daß irgend etwas faul ist.

»Was soll ich anziehen, Mama? Ich komme noch zu spät, wenn du mir nicht ...«

»Du kannst heute nicht in die Schule gehen.« Hat sie das wirklich gesagt?

»Warum nicht?«

»Weil ... es geht eben nicht.«

»Aber Fräulein Böhme ...« Ich liebe meine Lehrerin.

»Bald gehst du in eine neue Schule, Olga. In ein paar Tagen.«

»Warum darf ich nicht in der alten Schule bleiben?« Aber Mama hört mir nicht mehr zu. Sie hält den Telefonhörer in der Hand und ruft etwas hinein. Ich glaube, es ist wegen Papa.

Ich versuche zu lesen. Papa ist ein bedeutender Stuttgarter Verleger, er verlegt Kinderbücher. Ich bin immer stolz gewesen und froh, daß ich so einen Papa habe. Und ich lese gern. Aber heute kann ich den Buchstaben auf dem Papier nicht folgen.

Eine Woche später. Mama telefoniert dauernd. Ein Wort taucht immer wieder auf: Dachau. Dort ist Papa. Es muß schrecklich sein dort. Mama weint auch oft, aber ich soll es nicht merken.

Zwei Wochen später. Ich gehe jetzt in die jüdische Schule. Es ist bald Chanukka*, sagen sie. Mama und ich zünden die Chanukkalampe an. Zum erstenmal in meinem Leben feiern wir das Fest der Lichter und der Freiheit. Ich habe von der Schule Noten und hebräische Liedertexte mitgebracht, und abends singen wir zusammen. Ich wünschte, Papa wäre auch da. Sie haben uns gesagt, daß in dieser Nacht, als sie Papa abgeholt haben, noch Tausende von anderen Vätern abgeholt worden sind. Im Zentrum von Stuttgart sind die Scheiben von jüdischen Geschäften eingeschlagen worden, die Synagoge ist abgebrannt. Jemand hat gesagt, es war die »Kristallnacht«. Warum kommt Papa nicht zurück?

Sechs Wochen später. Mein Geburtstag, der 28. Dezember. Papa ist da! Aber er ist ganz anders als vorher. Er ist so mager, und seine Haare sind weiß, und er ist überhaupt nicht lustig mit mir wie sonst. Frieda, mein Kindermädchen, darf nicht mehr kommen, weil sie ihren Verlobten in seiner Naziuniform in unser Haus gebracht hat. Alles ist so schrecklich, so beunruhigend!

Januar. Ein Mann kommt zu uns, der mir Englisch beibringen soll. Ich soll für eine Weile nach England geschickt werden. Er ist grob und knochig und hat fettige Haare. Ich hasse ihn. Ich kann schon etwas sagen: »The dog is under the table.«

Februar. In der Schule haben sie über Haman* geredet. Am Abend, als Mama mir den Schlafanzug anzog, habe ich gesagt:

»Ich glaube, Haman war so böse wie Hitler.«

Mama ist ganz bleich geworden und hat gesagt, ich soll solche Sachen nie mehr sagen. »Die Wände haben Ohren«, sagte sie. Ich kann aber keine Ohren sehen.

Ein paar Tage später. Ich habe Fieber und Kopfweh, und ich habe das ganze Frühstück wieder ausgespuckt. Mama hat den Doktor geholt. Er sagt, es sind die Masern. Und in drei Wochen soll ich nach England fahren! Unsere Schneiderin hat mir neue Kleider genäht. In England werde ich eine Schuluniform tragen. Sie gefällt mir. Mrs. Liebermann, die mich bei sich aufnehmen wird, hat uns eine Zeichnung geschickt, danach hat die Schneiderin ihre Schnitte gemacht. Ich glaube, die Uniform steht mir gut, nur meine Beine sind zu dünn. Mama hat meine ganzen Sachen in Kisten und Schachteln gepackt, ein SS-Mann hat dabeigestanden und zugesehen.

»Was ist das?« fragt er und zeigt auf mein Cello.

»Ach das«, sagt Mama, »das ist nur so ein altes Ding.« Er verliert das Interesse daran. Sie hat sogar meine Lieblingspuppe Peter eingepackt. Aber ich glaube nicht, daß ich in England mit ihm spielen werde.

Gestern haben wir einen Brief von den Liebermanns aus Norwich in England bekommen. Es war ein Bild von der Familie dabei. Die Tochter ist so alt wie ich. Durch die Pastellfarben des Bildes sehen alle ganz komisch aus, ihre Lippen sind so rot. Ich frage Mama, was ich tun soll, wenn sie mich nicht mögen.

»Mach dir keine Sorgen, sie werden dich schon mögen«, sagt Mama. Aber ich weiß nicht, ob ich *sie* mögen werde.

3. März. Heute geht's los! Meine Cousine Hildegard kommt auch mit. Sie ist drei Jahre älter als ich. Mama begleitet uns bis Wiesbaden, wo Omama wohnt. Ich sage allen auf Wiedersehen, auch unseren Nachbarn, den Gumbels, und ich gebe Papa einen Kuß.

»Es sind ja nur sechs Wochen, Kätzle, höchstens sechs Wochen«, verspricht Papa.

In Wiesbaden ist Omama am Zug. Mama steigt aus. Ich drücke mein Gesicht an die schmutzige Scheibe, bis ich sie nicht mehr sehen kann. Immer mehr Kinder steigen in den Zug ein. Ich muß andauernd weinen, und ich gehe auf die Toilette. Als ich herauskomme, stehen ein paar Kinder da, die lachen und mit Fingern auf mich zeigen. Ich habe mein blaues Wollkleid aus Versehen in die Hose gesteckt. So was Dummes! Die ganze Fahrt über bleibe ich steif neben Hildegard sitzen und bemühe mich, nicht zu weinen. Ich ahne noch nicht, daß aus sechs Wochen sechs lange Jahre werden sollen.

Fred Durst
(London)
Aus München

Eines Nachts im September 1938 wurde ich gegen drei Uhr früh von Gewehrkolbenschlägen an unserer Wohnungstür geweckt. Brutale Kerle in braunen Hemden standen vor uns, die uns – meinen Vater, meine sechzehnjährige Schwester und mich, den Vierzehnjährigen – aufforderten, ein paar Sachen zu packen und mitzukommen. Wir wurden nach Stadelheim ins Gefängnis gebracht. Von dort, sagten sie, würden wir nach Polen geschickt.

Nach drei Tagen Gefangenschaft brachten uns bewaffnete Bewacher zum Bahnhof. Der Zug setzte sich gen Osten in Bewegung. Nach etwa achtundvierzig Stunden kam er in der Nähe der polnischen Grenze zum Halt, und es wurde uns gesagt, daß wir nach München zurückgebracht würden. Der Grund dafür war, wie ich später herausfand, daß die Polen keine deutschen Staatsangehörigen mehr ins Land ließen.

In England bildete sich in dieser Zeit das Inter-Aid-Komitee, und die ersten Kindertransporte wurden zusammengestellt.

Mein Vater erfuhr, daß München zehn oder zwölf Plätze zugeteilt worden waren, und er bemühte sich um zwei davon für meine Schwester und mich.

Am 3. Januar 1939 trafen wir mit den anderen Kindern auf dem Bahnhof zusammen. Nachdem wir hastig Abschied genommen hatten, ging es los, und die meisten von uns sahen ihre Eltern niemals wieder.

Als wir die deutsche Grenze überschritten hatten und nach Holland kamen, die letzten Hakenkreuzfahnen hinter uns ließen und die ersten holländischen Fahnen zu Gesicht bekamen, war das ein unbeschreibliches Gefühl, auch für einen Jungen von erst vierzehn Jahren. Zu dieser

Zeit durften alle Juden aus Deutschland ausreisen, aber nur wenige Länder erlaubten ihnen die Einreise. Hätte der Staat Israel damals schon existiert, so hätten alle Juden Europas gerettet werden können.

Vor der Ankunft in Harwich bekamen wir Schilder um den Hals gehängt, auf denen stand, wer wir waren. Unsere Unterkunft war ein Sommerferienlager, in dem es Platz gab für achthundert Kinder.

Nach drei Monaten wurde das Ferienlager geschlossen, und jene Kinder, für die man keine Pflegefamilien gefunden hatte, wurden in Heime über ganz England verteilt. (Es waren meistens Jungen – die Mädchen wurden eher in Familien aufgenommen, da man sie bei der Hausarbeit gut brauchen konnte.)

Anfang April 1939 kam ich mit einer Gruppe von vierzig Jungen in ein Heim in North Kensington. Man sorgte gut für uns, und wir alle besuchten die städtische Jüdische Schule. Das britische Schulsystem gefiel mir, das Aufsichtssystem, die Kricketspiele, aber ich fühlte mich auch ein wenig als Außenseiter, denn von unserer Gruppe konnte sich keiner die Schuluniform leisten.

Nach einigen Monaten sprach mein Klassenlehrer schon ziemlich gut Deutsch. Ich erhielt eine Postkarte, auf der mir mitgeteilt wurde, daß mein Fahrrad an der Victoria Station angekommen sei.

Sofort nach Ausbruch des Krieges wurden alle Schüler in ein kleines Dorf in Wiltshire evakuiert. Ich wohnte bei einer sehr freundlichen Familie in einem winzigen Cottage mit Klo auf dem Hof und einer Zinkbadewanne. Ich hatte für ein Gärtchen zu sorgen und Hühner zu füttern, und ich wurde Pfadfinder. Es war eine sehr schöne Zeit.

Walter F. Friedman
(Vermont, USA)
Aus Wien

Am 11. Dezember 1937, zehn Minuten vor Mitternacht, zehn Minuten vor meinem fünfzehnten Geburtstag, erwachte mein Vater für kurze Zeit aus dem Koma und starb. Fast auf die Minute genau ein Jahr später verließ ich Wien, um nach England zu fahren, wo ich am nächsten Tag, an meinem sechzehnten Geburtstag, ankam, am 12. Dezember 1938.

In diesem Jahr und in dem folgenden in England wurde ich erwachsen, und ich nahm teil an einem Zeitabschnitt, der wohl einer der ereignisreichsten unserer Geschichte gewesen ist. Dieser Zeitabschnitt prägte mich auf durchaus positive Weise.

Ich gehörte zu einer wohlhabenden jüdischen Familie des oberen Mittelstandes, ich war ein verwöhntes Kind, das vielerlei Privilegien genoß. Meine Mutter entstammte einer Familie, die einen alten und berühmten jüdischen Namen trug, und sie setzte alles daran, daß auch mein Leben in den von jenen berühmten Rabbinern unserer Familie gebahnten Wegen verlief.

Drei Monate nach dem Tod meines Vaters gelangte auch Österreich unter Hitlers Macht. Unser Leben – wie das aller Juden – änderte sich auf drastische Weise. Eine Woche nach dem Anschluß Österreichs wurde meine Schwester von der Gestapo als Geisel genommen, um meine Mutter zu erpressen und sie zu zwingen, unsere sämtlichen ausländischen Konten aufzulösen und das Geld in das Gebiet des Deutschen Reichs zu transferieren. Ich mußte auf eine Jüdische Schule wechseln, wo ich die fünfte Klasse des Gymnasiums beendete.

Etwa zu dieser Zeit kam Adolf Eichmann als Sonderreferent für die Deportation von Polen und Juden nach

Wien.* Auf der Suche nach geeigneten Unterkünften für ihn und seine drei Stellvertreter in Wien entschied man sich für vier Wohnungen in einem Gebäude, das meiner Familie – unter anderem auch mir, da ich meinen Vater beerbte – gehörte. Mein Onkel Hugo verwaltete den ehemaligen Besitz meines Vaters. Bei den Verhandlungen über Nutzung und Ausbau der Wohnungen stand er beinahe täglich in Kontakt mit Eichmann. Eichmann verlangte zum Beispiel, daß alle Toiletten ausgewechselt wurden, da die vorherigen Mieter Juden gewesen waren und er nicht auf einem Klo sitzen wollte, das von Juden benutzt worden war.

Wie viele andere Juden suchte auch ich währenddessen nach einer Möglichkeit, irgendein Handwerk zu lernen oder mir zumindest Grundkenntnisse von etwas zu erwerben, mit dem ich mich im Ausland über Wasser halten konnte, denn wir hatten die Emigration schon fest ins Auge gefaßt. Durch einen Freund meines Vaters bekam ich eine Stelle als Lehrling in einer Autoreparaturwerkstatt. Ich stellte mich nicht dumm an, zeigte sogar Begabung. Komplizierte Dinge zusammenzubauen, zu basteln und zu tüfteln, das hatte mir schon als ganz kleinem Kind gefallen. Es war also genau die richtige Arbeit für mich.

Einige Tage nach der »Kristallnacht« war mein Onkel Hugo in Eichmanns Büro. Man hatte irgendeine Angelegenheit, die mit der Wohnung zusammenhing, zu besprechen. Auf einmal fragte Eichmann:

»Stimmt es, daß Sie Töchter haben?«

Onkel Hugo sagte: »Ja, drei Töchter.«

»Wie alt?« fragte Eichmann. Und Onkel Hugo antwortete: »Fünfzehn, siebzehn und einundzwanzig.«

Eichmann sagte, daß die Engländer und die Holländer einige Kindertransporte in ihre Länder vorbereiteten und daß er dafür sorgen könne, daß zwei der Töchter, die jüngeren, mit dem ersten Transport außer Landes kämen. Daraufhin fragte mein Onkel, ob er auch für seinen Neffen Walter einen Platz besorgen könne, und Eichmann sagte, er werde es versuchen.

Wenige Tage später kam die Mitteilung, daß ich am 11. Dezember die Fahrt nach England anzutreten hätte.

Im Zug saß ich in einem Abteil mit zwei Brüdern, die dann meine Freunde geworden sind. Der ältere, Otto, beging vor zehn Jahren in Chicago Selbstmord. Henry, der jüngere, trug, als wir in Holland ankamen, eine meiner zwei Uhren. Wir hatten Angst, die zweite Uhr würde mir bei der Kontrolle an der Grenze abgenommen.

1938 war einer der kältesten Winter in der Geschichte Englands. Das Camp, in dem wir untergebracht wurden, wäre wunderschön gewesen, wenn wir nicht so gefroren hätten. So aber konnten wir all die schönen Sportgeräte nicht benutzen und drängten uns den ganzen Tag um den einzigen Ofen im Gemeinschaftsraum. Den enormen Anstrengungen des Flüchtlingskomitees von Bloomsbury House hatten wir es dann zu verdanken, daß bald eine neue Unterkunft für uns gefunden war. Man verteilte uns in kleinen Gruppen auf diverse Internate, die gerade Weihnachtsferien hatten.

Bis zum 2. oder 3. Januar blieben wir dort, und dann kamen wir in Kasernen, die zuletzt während des Ersten Weltkriegs genutzt worden waren, bei Colchester, in Essex.

Im großen und ganzen ging es uns gut. Wir waren mit Gleichaltrigen zusammen, und wir genossen es, zum erstenmal im Leben für längere Zeit ohne elterliche Aufsicht zu sein.

Helga Roboz
(Vancouver, Kanada)
Helga Liebenau/Leigh aus Berlin

Ich erinnere mich nur ganz schwach an den Tag, den 4. Mai 1939, an dem ich mit meinem Bruder Berlin verließ. Ich weiß nicht einmal mehr den Namen des Bahnhofs, an dem unser Zug abfuhr. Ich weiß nur noch, daß wir an einem anderen Berliner Bahnhof noch einmal hielten und daß unsere Eltern, um uns zum allerletzten Mal zu sehen, in größter Eile von dem ersten zu diesem anderen Bahnhof gefahren waren, um uns endgültig auf Wiedersehen zu sagen. Sie sind beide durch den Holocaust ums Leben gekommen.

Mein Bruder war zwölf, ich war fünfzehn. Wir wurden in verschiedenen Abteilen untergebracht. Ich erinnere mich allerdings noch daran, daß ich irgendwann an diesem Tag anfing zu weinen. Da forderte mich ein Mädchen ganz freundlich dazu auf, mich zusammenzureißen. Ich würde den vielen kleineren Kindern kein gutes Beispiel geben, und wir würden doch alle sozusagen im selben Boot sitzen. Natürlich hatte das Mädchen recht. Es hatte völlig recht.

Ester Friedman
(Norwich, England)
Ester Müller aus Wien

Was hat ein Gobelin mit dem Tod meines Vaters, meiner Mutter, meiner Schwester, meiner Onkel und meiner Tanten, meiner Cousins und Cousinen und sechs Millionen Juden zu tun? Ich werde Ihnen die Geschichte des Gobelins erzählen. Heute ist es Zeit, sich daran zu erinnern. Was in der »Kristallnacht« geschah, weiß jeder – aber die Geschichte des Gobelins begann vor über siebzig Jahren, als meine Mutter sich daranmachte, ihn zu stikken, bevor sie meinen Vater heiratete.

Meine Mutter nähte gern, also wurde sie Konfektionsschneiderin. Sie stand unter anderem bei den Schwestern des Bundeskanzlers Schuschnigg in Diensten. Meine Mutter war in Wien geboren, mein Vater in der Tschechoslowakei. Seine Mutter und sein Vater waren nach einem Pogrom zu Fuß bis nach Wien gewandert. Aber das ist eine andere Geschichte.

In meiner Kindheit war das Leben nicht einfach. Ich sehe noch das Gitter meines Kinderbetts vor mir, das Licht durch die Ritze unter der Tür scheinen, und ich höre das Klapp, Klapp der Schere meiner Mutter bis tief in die Nacht hinein. Ich muß ein seltsames Kind gewesen sein, daß ich mir um meine Mutter Sorgen machte, weil sie so hart arbeiten mußte. Sie hatte wenig freie Zeit, aber manchmal, sehr selten, nahm sie den Gobelin zur Hand und setzte sich hin, um zu sticken. Und ich saß auf einem Schemel zu ihren Füßen und war glücklich, oh, so glücklich, die Mutter einmal ganz für mich zu haben. Ich half ihr, die Farben zusammenzustellen und die Nähseide sauber aufzurollen. Wie wertvoll waren mir solche Momente – wie froh bin ich um diese Erinnerungen!

Der Tag kam, an dem ich das alles hinter mir lassen

mußte. Ich sah keine Tränen in den Augen meiner Mutter. Sie muß viele Tränen geweint haben, aber in meiner Gegenwart zeigte sie sich ruhig und beherrscht. Ich liebte auch meinen Vater, aber die Mutter liebte ich abgöttisch. Hätte sie mir gezeigt, was sie wirklich fühlte, wäre mir der Ernst unserer Lage bewußt geworden; so aber empfand ich das Ganze als ein Abenteuer. Das erstemal in meinem Leben durfte ich allein mit der Eisenbahn fahren! Meine fast siebzehnjährige Schwester wurde zurückgeholt, als sie schon auf dem Bahnhof war und auf den Zug wartete, einige Monate nach meiner Abreise.

Wir waren sechshundert Kinder, vierhundert sollten nach England fahren, zweihundert nach Holland. Die meisten derjenigen, die nach Holland fuhren, kamen später um.

Am 12. Dezember 1938 verließ unser Transport Wien. Ich war vierzehn. Eine Flüchtlingsorganisation brachte fünfzig von uns in einem Bnei-Brith-Rekonvaleszentenheim in Sussex unter. Es fehlte uns an nichts, aber ich fand keine Ruhe und tat alles, damit meine Familie ebenfalls nach England kommen konnte. Die schmerzvolle Sehnsucht nach meinen Eltern und Geschwistern hatte bald alle Lust am Abenteuer verdrängt. Innerhalb des nächsten Jahres erhielt ich nur zwei Briefe von daheim: »Uns geht es gut, hoffen, auch Du bist wohlauf.« Sie verstärkten nur meine Angst und Sorge.

Jemand hatte die gute Idee, an Namensvettern aus dem Telefonbuch zu schreiben. Ich schrieb: »Möglicherweise sind wir verwandt, bitte helfen Sie meiner Familie!« Es gab vier Müllers im Telefonbuch. Drei von ihnen antworteten; eine Familie wollte meine Schwester nach England holen. Hätte der Krieg zwei Tage später begonnen, sie wäre gerettet worden.

Die Zeit verging, und der Krieg hörte nicht auf. Bis 1942 bekam ich noch ein paar Briefe von meinen Eltern über das Rote Kreuz, dann herrschte Schweigen. Wir Kinder hatten wie so viele keine Ahnung, was in

Deutschland, Polen, der Tschechoslowakei vor sich ging, wir wußten nichts von den Konzentrationslagern. Von all dem erfuhren wir erst nach dem Krieg. Dann ging die Suche der Überlebenden nach ihren Verwandten los. Der damalige Innenminister Chuter Ede half mir persönlich, indem er Behörden und Regierungen anschrieb, aber es blieb alles zwecklos. Ich beauftragte eine Privatfirma mit Nachforschungen, schickte Fotos meiner Eltern und meiner Schwester sowie Beschreibungen, die an allen möglichen Orten öffentlich ausgehängt wurden. Wer etwas wußte, sollte sich bei mir melden. Ich machte damals meine Ausbildung als Krankenschwester und gab als Heimatadresse die Adresse des Lernkrankenhauses an.

Eines Tages saß ich in meinem Zimmer im Schwesternheim hinter meinen Lehrbüchern, als es an der Tür klopfte. Draußen stand ein Mann, den ich noch nie gesehen hatte. Er erzählte mir, daß er in Wien gewesen sei, in dem Haus, wo wir früher gewohnt hatten. In unserer Wohnung wohnte nun jemand, der von meinen Eltern nichts wußte. Also versuchte er es bei der Nachbarin. Sie hieß Frau Silber, war keine Jüdin und hatte unter uns gewohnt. Ich erinnerte mich – sie hatte sich oft durch den Lärm, den wir Kinder machten, gestört gefühlt. Frau Silber war es, die die letzten Einzelheiten über meine Eltern zu berichten wußte: Meine Mutter hatte nach und nach ihre Kunden verloren, da es nicht mehr erlaubt gewesen war, Juden Arbeit zu geben. 1940 mußten meine Eltern drei Räume unserer Wohnung an eine andere Familie abgeben und zusammen mit meiner Schwester zu dritt in den Anproberaum ziehen, ein winziges Zimmerchen, dessen Fenster auf eine kahle Hauswand gingen. Wie lange hielten sie es dort aus? Wie lebten sie? Meine Mutter durfte nicht mehr arbeiten. Sie stickte nun den ganzen Tag an dem Gobelin. Als er fertig war, gab sie ihn Frau Silber, damit diese ihn für sie aufbewahre.

Eines Tages war die SS gekommen – schwere Stiefel auf der Treppe, Knüppel, die die Tür einschlugen, Knüppel, die auf Möbel und Einrichtungsgegenstände einhämmerten, Knüppel, die alles zertrümmerten, was zu zertrümmern war. Große, rohe Hände, die meine geliebte Mutter fortzerrten, meinen Vater, meine Schwester, sie die Treppe hinunterschleiften und in die Lastwagen hoben, die schon voll waren mit anderen hilflosen Männern, Frauen und Kindern.

Das war alles, was Frau Silber wußte.

Den Gobelin hatte sie aufbewahrt, und so kam er, über jenen Mann, einen Fremden, in meine Hände. In Zeiten des Glücks mit Liebe, aber auch in höchster Verzweiflung gearbeitet, hat dieses Erbstück unschätzbaren Wert für mich.

Miriam Eris
(Safed, Israel)
Miriam Keller aus Leipzig

Die Ereignisse des 28. Oktober 1938 veränderten mein Leben und das meiner Eltern für alle Zeit.

Am Abend zuvor hatte uns ein Onkel aus Leipzig angerufen, um uns vor dem zu warnen, was die Deutschen eine »Aktion« nannten, das heißt eine Razzia mit Festnahmen oder Schlimmerem. Mein Vater glaubte allerdings nicht, daß es wirklich so furchtbar kommen würde. Aber am nächsten Morgen, als zwei Männer an der Tür der Wohnung klingelten und nach ihm fragten, kletterte er, während an der Tür noch gesprochen wurde, heimlich aus einem Fenster, stieg in sein Auto und fuhr bis zum Abend in der Stadt herum. Was in seiner Abwesenheit passierte, bekam er nicht mit. Als er zurückkam, erfuhr er voller Entsetzen, daß seine Frau und seine drei Kinder festgenommen worden waren. Ich war damals vierzehn Jahre alt, meine Schwester zwölf und mein Bruder acht.

Wir vier wurden verhaftet und in das Niemandsland zwischen Deutschland und Polen deportiert. Die Deutschen wollten alle Leute polnischer Herkunft loswerden. (Meine Eltern waren als Kinder nach Deutschland gekommen und hatten in Deutschland geheiratet; meine Geschwister und ich waren in Deutschland geboren worden.) Aber die Polen wollten uns nicht. In der Nacht mußten wir auf freiem Feld übernachten. Die schwerbewaffneten SS-Männer hatten gedroht, jeden zu erschießen, der versuchen würde, nach Deutschland zurückzukehren.

Endlich gaben die Polen nach, und wir erhielten die Erlaubnis, ein Dorf namens Zbąszyń zu betreten. Wir waren erschöpft und hungrig, und wir hatten Angst. Aus der benachbarten Stadt Kattowitz kamen Juden, die uns warmes Essen brachten. In kurzer Zeit wurden alle möglichen Gruppen und Komitees gebildet. Man sagte uns, daß wir am besten weiterfahren sollten in andere Landesteile.

Meine Mutter entschied sich für Krakau, eine große Stadt. Dort bekam sie ein Zimmer für sich selbst, für meine Schwester und meinen Bruder. Ich aber wurde von einer polnischen Arztfamilie aufgenommen. In der Zwischenzeit war es in Leipzig vorübergehend wieder ruhiger geworden, mein Vater war in die Wohnung zurückgekehrt, und meine Eltern konnten per Telefon miteinander in Verbindung treten. Sie beschlossen, den Versuch zu wagen, mich wieder nach Deutschland einzuschmuggeln, weil ich vielleicht die Möglichkeit hatte, mit einem Schülervisum – das nur in meinem Geburtsland Deutschland Gültigkeit hatte – nach Amerika auszureisen.

Mein Vater fuhr nach Beuthen an der deutschen Grenze und machte einen Mann ausfindig, der sich bereit erklärte, mich nach Deutschland zurückzubringen. Meine Mutter brachte mich nach Kattowitz, und dort trafen wir den Schmuggler. Es war der 3. Januar 1939, mein fünfzehnter Geburtstag. Meine Mutter stand diesem Abenteuer recht bedenklich gegenüber. Sie war damals neununddreißig Jahre alt – ich sah sie an jenem Tag zum letztenmal, ebenso wie meine Schwester und meinen Bruder.

Nach einer fürchterlichen Fahrt lieferte mich der Schmuggler in einer Wohnung ab, wo mich mein Vater schon erwartete. Sofort rief er meine Mutter in Kattowitz an und teilte ihr verschlüsselt mit, daß die »Mission« gelungen sei. Dann fuhren wir zusammen nach Leipzig und bereiteten meine Abreise vor. Ich hoffte, daß ich nach Amerika fahren durfte.

Einige Monate später, im Mai, war ich übers Wochenende in Berlin. Zwei deutsche Beamte suchten währenddessen unsere Wohnung in Leipzig auf, um das Gepäck zu kontrollieren, das ich in die Vereinigten Staaten mitnehmen sollte. Mein Vater legte ihnen die Listen aller Sachen vor, aber sie hatten alles mögliche zu beanstanden und nahmen ihn mit, um die Sache im Büro eines ihrer Vorgesetzten zu klären. Dieser Vorgesetzte war nicht auffindbar, und mein Vater mußte die Nacht mit Betrunkenen in einer Gefängniszelle verbringen. Am Montag darauf kam ich heim und fand unsere Wohnung versiegelt.

Mein Vater blieb in Untersuchungshaft, während die Klage gegen ihn vorbereitet wurde. Wir kannten Leute, die Jahre in Untersuchungshaft verbracht hatten, ohne daß irgend etwas gegen sie vorlag. Mein Vater tat jetzt alles, um einen Anwalt zu suchen, aber er wollte keinen jüdischen Anwalt, weil er wußte, daß ihm dies nur schaden würde. Endlich fanden wir einen deutschen Anwalt, der den Fall übernehmen wollte – allerdings verlangte er vom polnischen Konsulat die Bestätigung, daß er beauftragt sei, meinen Vater als Polen, nicht als Juden, zu vertreten. Das war seine Bedingung. Das Konsulat weigerte sich, die Bestätigung auszustellen.

Ich mußte mit Polizeibeamten und Gerichtsstellen verhandeln. Sie versuchten mit aller Gewalt, irgendeine Unregelmäßigkeit im Geschäft meines Vaters zu entdecken, forschten nach ausländischem Geld oder sonst etwas Verbotenem, was ihnen Anlaß hätte geben können, ihn auf legalem Weg hinter Schloß und Riegel zu setzen. Wenn sie in die Wohnung kamen, nahmen sie alles mit, was ihnen gefiel. So stahlen sie eine Schreibmaschine und ein silbernes Teeservice, das als Geschenk für unsere Verwandten in Kalifornien vorgesehen war.

Jeden Dienstag ging ich meinen Vater besuchen. Ich brachte ihm saubere Kleider und Zeitungen, und wir überlegten, was zu tun sei. Das Schiff der Holland-Amerika-Linie, auf dem ich nach Amerika reisen sollte, war ohne mich abgefahren. Mein Vater trug mir auf, mich bei der jüdischen Gemeinde zu melden, damit ich einen Platz auf dem Kindertransport nach England bekam. Es hatte eine amtliche Verlautbarung gegeben, nach der alle Juden Leipzig bis zum 4. Juli 1939 verlassen haben mußten. Bald darauf wurde mir mitgeteilt, daß ich vor diesem Datum die Stadt mit einem Transport verlassen konnte. Ich beratschlagte mit meinem Vater. Er sagte, ich müsse unbedingt fahren – auch wenn ihm dadurch die einzige Verbindung zur Welt außerhalb des Gefängnisses verlorenging. Ich hatte mich mit dieser schmerzhaften Entscheidung schon abgefunden, als ich eine Mitteilung des Gerichts erhielt, die mir verbot, Leipzig zu verlassen. Am 26. August sollte ich bei der Verhandlung gegen meinen Vater anwesend sein.

Mein Vater war davon überzeugt, daß eine Verhandlung nur Gutes bedeuten könne. Wenn er nur eine Verhandlung bekäme, dann würde man ihn sicher freilassen, glaubte er. Und in diesem Punkt täuschte er sich nicht. Als das Urteil erging, waren all die schlechten Taten, die er angeblich begangen hatte, durch die Zeit seiner Untersuchungshaft – plus Geldstrafe – schon abgebüßt.

Dann schickte mich mein Vater nach Berlin. Dort sollte ich ein Transitvisum in irgendein Land der Welt bekommen. Ich hatte ja schon ein gültiges Visum für Amerika. Aber als ich in Berlin ankam, sagte mir meine Tante, daß sie von einem Kindertransport nach England erfahren habe, der am Abend dieses Tages von Berlin abging. Nach vielem Hin und Her gelang es uns endlich, eine telefonische Verbindung zu meinem Vater herzustellen. Er sagte, ja, ich solle fahren.

Ich weiß nicht, wie er es schaffte, noch am gleichen Tag nach Berlin zu kommen, aber er schaffte es und kam eine halbe Stunde vor Abfahrt des Zuges an. Er brachte mir einen Koffer mit meinen Kleidern und Sachen und gab mir noch Ratschläge mit auf den Weg, wie ich mich unter all den fremden Leuten in einem fremden Land benehmen sollte. Wir verabschiedeten uns. Ich sah ihn nie wieder.

Wir fuhren die Nacht durch bis Köln. Bei Kleve passierten wir die Grenze und wurden dann mit dem Bus quer durch Holland bis Hoek van Holland gebracht. Am Morgen des 1. September 1939, einem Freitag, erreichten wir Harwich.

Das erste, was wir dort hörten, war, daß die Deutschen in Polen eingefallen waren.

Kenneth Carey
(Southampton, England)
Kurt Heinz Heilbrunn aus Goslar

Am 17. Dezember 1921 wurde ich als Kurt Heinz Heilbrunn in der alten Stadt Goslar im Harz geboren. Alle Mitglieder meiner Familie waren jüdischen Glaubens, wir waren nicht orthodox und übten unsere Religion nicht aktiv aus, außer an den hohen Feiertagen. Ich kann mich nicht erinnern, mich irgendwie anders gefühlt zu haben als andere Kinder, bis die Nazis kamen und die Verfolgungen begannen.

Mein Vater liebte den Harz, und das bißchen Freizeit, das er sich gönnte, verbrachte er am liebsten draußen in der Natur. Später erst ging mir auf, daß diese Ausflüge in die Berge ihn sehr angestrengt haben müssen.

Während des Ersten Weltkriegs hatte er sich, wie so viele deutsche Juden seiner Generation, freiwillig an die Front gemeldet und eine schwere Verwundung am Rükken davongetragen. Das Gewebe war vernarbt, aber das Loch im Fleisch war so tief, daß meine Faust hineinpaßte. So lange er lebte, plagte ihn diese Wunde.

Gleich jenen hunderttausend deutschen Juden, die ihrem Land gedient hatten, glaubte er dummerweise, die Nazis würden ihn und seine Familie verschonen.

Ich ging gern zur Schule. In den ersten Jahren hatten wir sehr fortschrittliche Lehrer, mit denen wir oft Ausflüge machten; wir sollten die Natur beobachten und kennenlernen. Das mochte ich.

All das änderte sich, als die Partei der Nazis immer stärker wurde. Anfangs fühlte ich mich vor dem Schlimmsten gefeit, weil mein Vater ein angesehener Mann in der Stadt war, besonders wegen seiner Verdienste im Krieg. In einer Stadt, in der das Militär eine so große Rolle spielte, war das etwas, was zählte, und es gab unter den guten Bekannten und Kunden meines Vaters noch immer eine Reihe von Offizieren der Garnison.

Ich trat dann in das Realgymnasium von Goslar ein, das schon mein Vater und dessen Bruder besucht hatten. Die meisten Lehrer gehörten zur Generation meines Vaters und hatten ebenfalls am Krieg teilgenommen. Mir gegenüber verhielten sie sich neutral, und ich wußte, daß einige versuchten, mich vor den physischen und verbalen Angriffen der fanatischsten Antisemiten unter meinen Mitschülern in Schutz zu nehmen. Aber es gab unter den Lehrern auch einen – er unterrichtete Geschichte –, der jede Gelegenheit nutzte, mich zu demütigen. Später ging er zu aktiver Verfolgung über. Ich erinnere mich, daß er mich nach vorn zitierte. (Damals saß ich schon lange an einem eigenen Pult, um die arischen Schüler nicht »mit dem Pesthauch der Juden« anzustecken.) Dann brüllte er mich an und befahl mir, den Saal zu verlassen. Ich war das einzige jüdische Kind in dieser Schule, und ich bekam das volle Maß seines Hasses und seiner Bosheit zu spüren.

Man konnte nun nicht mehr die Augen vor den Verfolgungen verschließen. Jeden Tag passierte etwas. Während eines Besuchs Hitlers in Goslar 1935 oder 1936 wurde ich von einem Gestapo-Mann gezwungen, mich in der Tür unseres Geschäfts aufzustellen. Im Rücken spürte ich den Lauf seines Gewehrs. Wenn einem der hochrangigen Nazis, die an uns vorüberfuhren, irgend etwas passiert wäre – mein Schicksal wäre besiegelt gewesen.

1935 wurde mein Vater denunziert. Man beschuldigte ihn, Julius Streicher, Gauleiter in Franken und Herausgeber des ›Stürmer‹, des schlimmsten antisemitischen Hetzblattes, beleidigt zu haben. Er mußte vor Gericht erscheinen, wurde verurteilt und mit vier Monaten Gefängnis bestraft, was dann umgewandelt wurde in eine Geldstrafe von eintausend Mark. Das entsprach dem Jahresgehalt eines Verkäufers. Das Gericht ließ Milde walten angesichts der Verdienste meines Vaters an der Front und seiner Verwundung. Nahm er die Strafe nicht an, so wurde meinem Vater für jede zehnte nicht gezahlte Mark ein Tag Gefängnis in Aussicht gestellt. Aber trotz all dieser Maßnahmen schafften sie es nicht, ihn zu brechen.

Als die Situation an der Schule sich immer mehr verschlimmerte, entschloß sich mein Vater, mich auf ein jüdisches Internat zu schicken. Es war eine Schule für Mädchen und Jungen mit rein jüdischem Kollegium in Caputh bei Potsdam. Noch bestand sie. Die wenigen Monate, die ich dort verbrachte, waren fröhlich und unbeschwert, ich hatte einfühlsame Lehrer, die mich sehr förderten. Auch das Lernen in kleinen Gruppen tat mir gut. Leider wurde nur zu bald klar, daß mein Vater sich die Schulgebühren nicht länger leisten konnte, und im Herbst desselben Jahres verschaffte er mir mit Hilfe eines Geschäftskollegen eine Stelle bei einem jüdischen Herrenausstatter in Magdeburg.

Kurz nach meiner Ankunft dort wurde ich frühmorgens von zwei Beamten in Zivilkleidung geweckt, die mich ins Gefängnis brachten. Ich war allein in einer Zelle und entsinne mich nur noch, daß man mir plötzlich sagte, ich solle nach Hause gehen. (Es muß mehrere Tage später gewesen sein.) Mit mir wurde auch mein Chef, der schon ein älterer Mann war, freigelassen. Offenbar hatte man uns nicht brauchen können: Er war zu alt, und ich, noch nicht siebzehn, war zu jung, um ins Konzentrationslager geschickt zu werden. Die anderen Juden, die man am gleichen Tag zusammengetrieben hatte, hatten dieses Glück nicht gehabt.

Später wurde mir bewußt, daß ich am Morgen der berüchtigten »Kristallnacht« inhaftiert wurde, am 9. November 1938, als die Nazikohorten überall Furcht und Schrecken verbreiteten.

Als ich aus dem Gefängnis kam, nahm ich den Zug zurück nach Goslar, aber auch daran erinnere ich mich nur schwach. Als ich mich unserem Geschäft näherte, sah ich viele Leute, die auf etwas starrten, das mir wie ein

Trümmerhaufen vorkam. Das Geschäft war leer und verlassen, die Fenster hatten kein Glas mehr.

Dadurch bekam ich noch mehr Angst, als ich sowieso schon hatte. Was mich dazu brachte, weiß ich nicht, aber ich verließ jedenfalls diesen Ort und lief schnell zum Haus eines jüdischen Freundes. Dort traf ich meine Mutter im Kreis von anderen ängstlichen und verstörten Frauen. Wir alle waren in einem Schockzustand, zutiefst erschüttert, und ich brauchte einige Zeit, um herauszufinden, was passiert war.

Mutter war zusammen mit ihrem Vater in der Wohnung über dem Geschäft gewesen. Er war alt und schwach und konnte sich nicht selbst versorgen. Deshalb lebte er seit einiger Zeit bei uns.

Mein Vater war geschäftlich nach Berlin gefahren. In der Nacht waren Sturmtrupps gekommen, die in den Laden eingebrochen waren und begonnen hatten, alles zu zertrümmern und zu plündern. Als meine Mutter die Geräusche dieser Orgie der Zerstörung hörte, war sie geistesgegenwärtig genug, meinen Vater in Berlin anzurufen und ihn zu warnen. Mein Vater konnte den Lärm, den die Sturmtrupps machten, als sie auf dem Weg zu unserer Wohnung alles kurz und klein schlugen, über das Telefon hören.

Großvater wurde rücksichtslos die steilen Treppen hinuntergestoßen und dann ins Gefängnis geschleppt. Mutter mußte all dies mitansehen. Ich weiß nicht, wie sie es schaffte, dem Mob zu entkommen und das Haus unserer Freunde zu erreichen.

In derselben Woche kehrte ich noch einmal zu unserem Geschäft und unserer Wohnung zurück. Es gab keine Waren mehr in den Regalen, und ein Großteil unseres persönlichen Besitzes war geraubt worden, unter anderem fast alle Stücke von Mutters Schmuck.

Bei seiner Ankunft in Goslar war auch mein Vater ins Gefängnis geworfen worden, aber man ließ ihn bald wieder frei, wahrscheinlich aufgrund seiner Verwundung.

Auch Großvater kam nach einiger Zeit frei, gebeugt, verletzt, doch nicht gebrochen.

Ende November sprach eine Dame bei meinen Eltern vor und sagte, es sei keine Zeit zu verlieren: Sie könne mich aus Deutschland herausbringen. Ich hörte, daß sie zu der Gesellschaft der Freunde, den Quäkern, gehörte, die von England aus jüdische Kinder zu retten versuchten. Ich wurde bald siebzehn, und man wußte, daß man unverzüglich handeln mußte. Selbstverständlich erklärten sich meine Eltern sofort einverstanden.

Am 5. Januar verließ ich Deutschland mit einem Kindertransport. Noch immer spüre ich die gedrückte Stimmung, die im Abteil herrschte, bis wir die Grenze zu Holland hinter uns hatten.

In England wurden wir alle zu einem leerstehenden Feriencamp in Dovercourt gebracht. Man benutzte es, um Flüchtlingskinder behelfsmäßig unterzubringen. Ich hatte dann das Glück, in ein vom Oxford Refugee Committee unterhaltenes Flüchtlingsheim zu kommen, und ich durfte die Southfield Grammar School in Oxford besuchen. Das bißchen Englisch, das ich in Deutschland gelernt hatte, war jetzt der Grundstock aller weiteren Kenntnisse.

Mit siebzehn ist ein junger Mensch offen für alle Eindrücke, die auf ihn einstürmen, und ich machte da keine Ausnahme. All das, was ich erlebt hatte, beschäftigte mich stark. Man nahm uns überall freundlich auf, vor allem aber war da – obwohl die Verhältnisse alles andere als luxuriös waren – Freiheit! Nur im Übergangscamp unterwarf man uns gewissen Einschränkungen. Und später hinderten uns nur unsere mangelhaften Englischkenntnisse daran, unsere Umgebung besser kennenzulernen und mit den Leuten in Kontakt zu kommen. Aber wir waren frei! Jedermann trug dazu bei und tat sein Bestes, uns die Eingewöhnung zu erleichtern. Ich kann mich an Heimweh nicht erinnern, aber ein Gedanke beschäftigte mich mehr als alles andere: Wie stellte ich es nur an, meine Mutter, meinen Vater und meinen Großvater aus Deutschland herauszuholen?

Meine Eltern hatten es tatsächlich fertiggebracht, mir mein Fahrrad nach Oxford zu schicken, und wir korrespondierten noch, obwohl ich mich sehr in acht nahm mit dem, was ich schrieb. Kurz vor Ausbruch des Krieges bat ich den Heimleiter um die Erlaubnis, nach London radeln zu dürfen. Ich fuhr nachts los und kam früh am Morgen im Hauptquartier des Board of Deputies of British Jews an. Dort wollte ich um Rat fragen, was ich tun konnte, um meine Eltern nach England zu holen. Im nachhinein weiß ich natürlich, wie naiv es von mir war, zu erwarten, daß diese Leute alles stehen und liegen ließen, um sich der Eltern dieses völlig mittellosen jungen Mannes anzunehmen.

Ich sprach immer wieder in Büros vor und machte Leute ausfindig, die vielleicht helfen konnten, aber als der Krieg ausbrach, gab es keine Hoffnung mehr. Die letzte Verbindung mit meinen Eltern bestand aus ein, zwei Postkarten des Roten Kreuzes. Dann war Schweigen.

Ich hörte nichts mehr von meinen Eltern bis zur Einstellung der Kampfhandlungen; mit Hilfe der englischen Armee fand ich dann heraus, daß sie in Konzentrationslagern ermordet worden waren.

1977 traf ich zufällig Herrn Cramer, der als Junge in der Werenbergstraße in Goslar unser Nachbar gewesen war. Nach unserer Begegnung entstand in ihm der Wunsch, der Geschichte der wenigen jüdischen Familien, die vor dem Krieg in Goslar gelebt hatten, nachzuspüren und sie aufzuschreiben. Sein verdienstvolles Werk* dokumentiert ihr Martyrium. Es ist 1985 veröffentlicht worden. So lange hat es also für mich gedauert, bis ich endlich alle Einzelheiten des Schicksals meiner Eltern in Erfahrung bringen konnte.

Bernd Koschland
(London)
Aus Fürth

Ich wurde in Fürth bei Nürnberg geboren, im Herzen des Nazismus. Als ich acht Jahre alt war, trafen meine Eltern die Entscheidung, mich mit einem der Kindertransporte nach England zu schicken; wenn ich mich recht erinnere, ließen sie mir letzten Endes jedoch noch die Wahl, ja oder nein zu sagen. Mitte April 1939 brachte mich meine Mutter nach Hamburg, wo ich mit vielen anderen Kindern die SS Manhattan bestieg. Als wir ausliefen, wurden wir von einem kleinen Boot begleitet, in dem meine Mutter saß. Zweifellos waren noch viele andere Eltern anwesend, die alle ihren Kindern ein letztes Mal zuwinken wollten. Ich ließ meinen Vater und meine Mutter zurück – beide kamen in Lagern um – sowie eine Schwester, der es einige Monate später gelang, eine Stelle als Hausmädchen in England zugesichert zu bekommen, so daß sie ausreisen konnte. Die Fotografie jenes Bootes mit meiner Mutter darin, umringt von anderen Leuten, ist verlorengegangen, aber ich sehe das Bild noch immer vor meinem inneren Auge.

Als nächstes erinnere ich mich an das Heim in Margate, wo etwa fünfzig oder sechzig Jungen lebten, aber ich war mit acht Jahren der jüngste. Viele ältere Jungen waren für die jüngeren Respektspersonen, wir hörten gläubig auf ihre Ratschläge – heute weiß ich, daß es leider nicht immer die besten Ratschläge waren.

Einer sagte zu mir, daß es wegen des Krieges gefährlich sei, Briefe aus Deutschland aufzuheben – so vernichtete ich alle Briefe meiner Eltern.

Im September desselben Jahres konnten wir schon die Schule besuchen, nachdem wir zuvor etwas Englischunterricht bekommen hatten. Auch unsere jüdische Erziehung wurde fortgesetzt. Rabbi Cohen besuchte uns, oder wir besuchten seine Schul*. Noch heute stehe ich mit ihm und seiner Familie in Verbindung. Oft täusche ich mich in der Zeit, aber hin und wieder tauchen Erinnerungen aus dem Nebel der Vergangenheit auf, und ich sehe wieder klar. Zum Beispiel weiß ich noch genau, wie schwierig es war, Briefe nach Hause zu schreiben, die Marken waren soviel teurer als Süßigkeiten. Und die Dinge, die ich von Deutschland mitgebracht hatte, gingen kaputt. Erst nach Kriegsende bekam ich wieder eine Uhr. Andererseits gibt es Dinge, die ich bis heute behalten habe. Die blaue Stofftasche, vielmals geflickt, in die meine Mutter die Schuhe wickelte, enthält heute meinen Schofar*.

Der Sidur*, der Tallith*, der Chumesch* – sie sind weggeräumt, unbrauchbar geworden. Die Haggada* wird noch immer benutzt, mit ihrem ursprünglichen, braunen Papierumschlag. Als gute Juden hatten mich meine Eltern in dieser Hinsicht reich ausgestattet. Im Heim lernten wir und spielten englische Spiele, und ab und zu gab's Ausflüge zum Vergnügungspark in der Nähe. Es herrschte strenge Zucht. Der Name des Heimleiters ist mir noch im Gedächtnis, außerdem die Namen Gustav Meyer – ihn traf ich einige Jahre später in Israel wieder – und Joe Fertig, mit dem ich zu Beginn der Evakuierungen die Reise zu unserem nächsten Etappenziel antrat.

Wir kamen in ein Dorf in Staffordshire, im Herzen des bäuerlichen England. Das Dorf hieß Hammerwich. Joe und ich wurden von Mr. und Mrs. Cotterel aufgenommen. Sie hatten selbst keine Kinder, und sie waren sehr freundlich zu uns. In ihrem Haus gab es keine Elektrizität, sondern Gaslicht, eine Zinkbadewanne, Hühner im Hof und ein Fahrrad, dessen Lampe nur funktionierte, wenn man irgendein chemisches Pulver einfüllte. Zweifellos haben die Leute dort weder vorher noch nachher jemals Juden zu Gesicht bekommen. Das Leben ging seinen gemächlichen Gang, während die nicht allzu weit entfernten Städte Walsall und Birmingham schwere Luftangriffe zu überstehen hatten. Wir besuchten die dreiklassige Dorfschule. Der Unterricht war kein Zuckerschlecken und der Stock häufig in Gebrauch. Ab und zu sah ein Lehrer aus Margate nach uns, der immer seinen riesengroßen Hund mitbrachte.

Das Leben nach den Vorschriften und Regeln unserer Religion zu gestalten war nicht leicht für uns. Joe und ich waren schließlich erst neun! Was sollten wir essen? Die Kaschruth* wurden praktisch nirgendwo befolgt. Rosch-ha-Schana* stellte uns in diesem Jahr vor die größten Schwierigkeiten. Am ersten Tag weigerten wir uns, in die Schule zu gehen; dann aber wurden wir von Margate aus unter Druck gesetzt und mußten doch gehen. Als Kinder, die wir waren, fanden wir kaum eine Möglichkeit, uns der Übermacht zu widersetzen. Zum Pessachmahl* hatten wir Matzen* besorgt, das wir in einem speziellen kleinen Schrank aufbewahrten. Am Sabbat liefen wir drei Meilen zu Fuß bis Cannock Chase, wo Mr. Winter aus Birmingham für alle evakuierten Juden der Gegend einen Gottesdienst hielt.

Hinter den Kulissen bemühte man sich darum, mich anderswo unterzubringen. Ich war traurig, Joe verlassen zu müssen, aber im Lauf unseres Lebens haben wir uns dann immer wieder getroffen. Was mit den anderen Kindern geschah, die im Dorf und in der Umgebung geblieben waren, entzieht sich meiner Kenntnis.

Als nächstes kam ich nach Tylers Green bei High Wycombe. Das Heim dort machte einen tiefen Eindruck auf mich – es hat mich bis heute geprägt. Wer dort gelebt hat, wird kaum jemals von seinem orthodoxen Glauben gelassen haben. Ich kann es mir jedenfalls nicht vorstellen. Ein Komitee von Munks Schul hatte das Heim auf die Beine gestellt, Rabbi Munk selbst nahm auf seine starke, väterliche Weise an der Leitung teil und machte seinen Einfluß geltend. Viele der ehemaligen Heiminsassen stehen noch heute in Kontakt miteinander. Es war fast wie ein exklusiver Club. Das Komitee, der Heimleiter und sein Assistent, ihre Ehefrauen und die anderen Betreuer nahmen persönlich Anteil an unserem Schicksal, unserem Werdegang. Es ging streng, doch immer liebevoll zu. Fünfundzwanzig heranwachsende Jungen können eine ganz schöne Rasselbande sein! Bis ich ins College kam und sogar noch lange danach stand ich unter der Obhut des Komitees, besonders seines Vorsitzenden, Mr. Rosenfelder. Später, als ich mich in der Gemeinde engagierte, arbeitete ich jahrelang mit seiner Frau, Mrs. Rosenfelder, zusammen. Als der Leiter unseres Heims und sein Assistent 1945 in die USA emigrierten, schwor ich, sie bei der ersten Gelegenheit, die sich mir bieten würde, zu besuchen. 1973 wurde das Versprechen eingelöst.

Wir bekamen eine gute Erziehung. Einige von uns Jungen durften die Grammar School am Ort besuchen; nur am Sabbat fehlten wir regelmäßig. Noch heute fühle ich die Schmerzen, die mir die Strafen des Französischlehrers, eines gewissen Mr. Hett, bereiteten: Abwesenheit bei Prüfungen hieß, daß man die schlechteste Note bekam und dazu noch nachsitzen mußte. Judesein heißt leiden!

Im Heim von Tylers Green wurden die Traditionen sehr ernst genommen. Unabhängig von den Hausaufgaben, die wir zu machen hatten, gab es jeden Tag Unterricht, am Sabbat drei Stunden. Unser Lehrer, Mr. Wolff, »versüßte« den Unterricht nach seinem Gutdünken durch »Medizin«, die er eigenhändig und kräftig auf diversen Körperteilen seiner Schüler – hauptsächlich auf Schultern und Köpfen – verteilte. Aber das, was wir dort lernten, ist mir in meinem Leben sehr zustatten gekommen. Unser Bethaus zog viele Besucher aus der Umgebung an, besonders am Sabbat. Ich lernte meinen zukünftigen Schwager hier kennen, lange bevor er meine Schwester traf.

Es gab letzte Versuche, mittels des Roten Kreuzes mit meinen Eltern Verbindung aufzunehmen. Verwandte und Freunde, die gerettet worden waren, besuchten uns im Heim. Gelegentlich fuhren wir nach London. Für mich war es immer sehr aufregend, die Bahnfahrt und der Einkauf bei Frohwein's*, wo wir unser Fleisch bezogen.

Der Krieg war zu Ende, das Heim bezog neue Räume an der Peripherie von London und wurde dann 1947 aufgelöst. Es hatte seinen Zweck erfüllt. Es hatte dafür gesorgt, daß wir einen guten Start ins Leben hatten.

Natürlich fehlten mir meine Eltern, doch vielleicht im späteren Leben mehr als in den Jahren des Krieges. Und die Familie? Meine Schwester lebte nicht im Heim, sondern bei einer Familie auf dem Land; sie hatte ein schwereres Leben als ich. Ich glaube, daß mir unter den damaligen Umständen das beste Los zufiel. Natürlich wurde mein Denken davon geprägt, ganz sicher auch mein Stil des Unterrichtens. Oft erscheinen mir heutige Lehrer zu nachgiebig ihren Schülern gegenüber. Ich glaube, daß eine gewisse Härte notwendig ist, um im Leben zu bestehen.

Viele Leute, bekannt und unbekannt, trugen dazu bei, daß ich ein Staatsbürger dieses Landes werden konnte. Worte allein genügen nicht, um ihnen zu danken.

Bertha Leverton
(London)
Bertha Engelhard aus München

Wenn man zurückschaut auf die Jahre, die man gelebt hat, erinnert man sich nicht an die gewöhnlichen Dinge des Alltags, sondern an die großen freudigen oder traurigen Ereignisse. Sie mögen zeitweise in den Hintergrund treten, aber man vergißt sie niemals.

Die Erinnerung an jene fünf Jahre, die ich in einer Pflegefamilie verbrachte, kann nicht ausgelöscht werden. Was für die Pflegeeltern spricht: Sie haben außer mir auch meinen damals zwölfjährigen Bruder Theo und meine neunjährige Schwester Inge aufgenommen. Als ich nach England kam, war ich fünfzehn.

Heute weiß ich, daß meine »Tante« Vera, die behindert war, mich wegen meiner guten Gesundheit haßte und mich deshalb so schlecht behandelte. Aber ihre Quälereien waren nichts gegen die des »Onkels« Billy, denen ich in dieser langen Zeit immer wieder glücklich entkommen konnte.

Das erste Jahr war noch erträglich. Wir waren durch Vermittlung der christlichen Kirche von Coventry nach England gekommen und wohnten in Coventry, ohne irgend etwas vom jüdischen Flüchtlingskomitee zu wissen. Allerdings hatte Theo Bar Mizwa* in der kleinen Schul der Barras Lane, und wir waren an den Sederabenden* immer im Haus des Rabbis zu Gast. Aber wenn wir dann mit einem Paket Matzen zu den Pflegeeltern zurückkehrten, war unsere Sehnsucht nach richtigem jüdischen Familienleben nur noch größer geworden. Selten geschah es, daß wir die Erlaubnis bekamen, den Sabbatgottesdienst zu besuchen – was einen Fußmarsch von zwei Meilen bedeutete. Und am Ende standen wir da, und kein Mensch schien uns drei verlorene Kinder, die sich so sehr wünschten, wieder von einer jüdischen Gemeinde aufgenommen zu werden und am jüdischen Leben teilzuhaben, überhaupt zu bemerken.

Eines Tages kam Theo weinend von der Schule heim. Er war in einen Bombenkrater gefallen und hinkte. Mehrere Tage lang mußte er sich anhören, er solle sich nicht so anstellen, und er mußte trotz seiner Schmerzen in die Schule gehen. Auch mir wurde der Mund verboten, als ich verlangte, daß man ihn zum Arzt schickte. Schließlich schwoll sein Fuß dermaßen an, daß man ihn doch von einem Arzt untersuchen ließ, und es stellte sich heraus, daß er die ganze Zeit mit einem gebrochenen Knöchel herumgelaufen war.

Inges dünne Arme waren oft voller Blutergüsse, weil die Tante sie wegen der allerkleinsten Unartigkeiten ins Fleisch kniff. Es war uns die größte Freude, wenn man uns als Strafe zum Essen in die Küche verbannte. Da konnten wir wenigstens allein sein.

Nach den Angriffen auf Coventry wurden wir zusammen mit den Pflegeeltern evakuiert und kamen in ein Dorf in Yorkshire. Dort waren wir endgültig von jeglichem jüdischen Leben abgeschnitten. Aber irgendein Komitee muß doch von unserer Existenz gewußt haben, denn zweimal im Jahr kam ein jüdischer Rabbi zu Besuch, der alle Kinder in nichtjüdischen Familien zu betreuen hatte. Sinnlos, sich bei ihm zu beschweren: Im Zweifel würde er doch den Pflegeeltern eher glauben als uns. Zu dieser Zeit waren wir schon so eingeschüchtert, daß wir uns gegen keine Ungerechtigkeit mehr auflehnten.

Dann schickten mich unsere Pflegeeltern zur Arbeit in die örtliche Spinnerei, abends und an Wochenenden hatte ich die Hausarbeit zu erledigen. Theo mußte in die Fabrik, sobald er vierzehn geworden war. Inge ging zur Schule und erhielt wegen guter Leistungen ein Stipendium. Ich mochte meine Arbeit, weil ich dann wenigstens nicht zu Hause sein mußte, und von den Mädchen dort fühlte ich mich akzeptiert. Wir arbeiteten im Akkord, und in kürzester Zeit kam ich auf die höchste Stückzahl und den besten Lohn. Aber selbstverständlich mußten Theo und ich unsere Lohntüten bei den Pflegeeltern abgeben! Von jedem Pfund, das wir verdient hatten, bekamen wir genau eine halbe Krone zurück – also ein Achtel. Und selbst das nur theoretisch! Denn am nächsten Tag schon mußten wir dem darbenden Onkel, der angeblich wieder mal kein Geld hatte, so viel borgen, daß wir uns kaum je einmal etwas für uns selbst kaufen konnten. Das geborgte Geld sahen wir natürlich nie wieder.

Dazwischen gab es immer wieder Momente, wo wir rebellierten und so unerhörte Dinge verlangten wie unseren Anteil an den Süßigkeitenmarken. Die Tante fiel in Ohnmacht, jammerte und klagte uns der Untergrabung ihrer Gesundheit an. Ja, was für undankbare Kinder wir waren!

Sie und der Onkel spielten für ihr Leben gern Monopoly, aber zu zweit war es langweilig, also mußten wir mitspielen. Wir merkten bald, daß sie es sehr übelnahmen, wenn wir gewannen. Also entwickelten wir raffinierte Strategien, um zu verlieren. Das machte sie glücklich und führte dazu, daß sie uns mit Tee und Keksen beschenkten.

Ich erinnere mich an eine herrliche Woche im Januar. Die Pflegeeltern waren auf Verwandtenbesuch in Coventry. Wir durften unsere Lohntüten behalten und uns selbst versorgen. In diese Woche fiel mein einundzwanzigster und Inges vierzehnter Geburtstag. Wir fuhren in die nächstgelegene größere Stadt, Oldham, gingen ins Café und bestellten ein großes Mittagessen, bestehend aus Eiern, Bohnen und Pommes frites. Dann sahen wir uns die Sehenswürdigkeiten an und besuchten das Schwimmbad. Bei dieser Gelegenheit brachte ich meiner Schwester das Schwimmen bei. Dann ließen wir uns auch noch fotografieren. Das Glück, die Freiheit dieses Geburtstags werde ich nie vergessen. Aber das Leben hielt noch mehr für uns bereit.

1940 war es unseren Eltern gelungen, aus Deutschland zu fliehen, und nach fünf Jahren Wanderlebens ließen sie sich endlich in Portugal nieder. Es herrschte noch immer Krieg. Gerade war ein Gesetz erlassen worden, das es engen Verwandten erlaubte, von neutralen Ländern aus nach England einzureisen, vorausgesetzt, ihre Kinder in England waren unter fünfzehn. Als die Mutter unserer Pflegemutter, die mehrere Pensionen besaß, von der bevorstehenden Ankunft unserer Eltern erfuhr, erwarb sie ein weiteres Haus in Coventry. Die Absicht war, auch aus diesem Haus eine Pension zu machen, in der meine Eltern ihren Lebensunterhalt verdienen konnten. Als aber meine Eltern ankamen und sahen, wie schlecht es uns ging – ich hatte zum Beispiel nicht einmal ein Paar Schuhe, sondern Holzpantinen, die man sonst nur zur Arbeit in der Spinnerei trug -, gab es einen großen Krach.

Wir Kinder hatten uns entschlossen, die Pflegeeltern nicht zu denunzieren, aber im Lauf einer langen Nacht zog mir meine Mutter die ganze Geschichte dann doch aus der Nase. (Inge konnte überhaupt kein Deutsch mehr, Theo nur noch sehr wenig.) Eltern kann man nicht täuschen. Ich weiß nicht genau, wie es geschah, aber jedenfalls schaffte es Papa, der kein Wort Englisch sprach, mit Hilfe eines vorsintflutlichen dörflichen Telefonapparats das nächste Flüchtlingskomitee (in Manchester) zu kontaktieren, und innerhalb der nächsten zwei Stunden kam ein Auto, und wir wurden abgeholt. Auf dem Weg bekam ich ein Paar neue Schuhe. Es war kurz nach meinem einundzwanzigsten Geburtstag. Danach fing ein neuer, freudvoller Lebensabschnitt an.

Liesl Munden
(Sussex, England)
Liesl Heilbronner aus Düsseldorf

1924 wurde ich in Deutschland geboren. Ich lebte mit meinen Eltern in Düsseldorf, und ich war das einzige Kind; aber meine Eltern hatten noch eine Tochter gehabt, die zwei Jahre vor meiner Geburt gestorben war.

1933 kam Hitler an die Macht, da war ich neun Jahre alt. Als meine Eltern mir mitteilten, daß ich die Schule wechseln müsse, war dies das erste Ereignis, das mir klarmachte, daß ich als jüdisches Kind irgendwie anders war als andere Kinder. Damals war ich zehn. Begründet wurde mein Schulwechsel damit, daß es in der alten Schule zu viele jüdische Kinder gebe und daß Hitler befohlen habe, daß ich nun woandershin käme. Viele andere Kinder mußten ebenfalls die Schule wechseln. Der Verlust all meiner Kameradinnen und Kameraden war damals ein großer Schock für mich.

Die neue Schule war sehr gut; eine große, angesehene Mädchenschule, auf der ich bald neue Freundinnen fand. Bis heute stehe ich in Kontakt mit einer meiner ehemaligen Mitschülerinnen, die in Deutschland wohnt und katholisch ist.

So lebte ich also mein Leben, lernte und tat in meiner freien Zeit alle möglichen Dinge, die Spaß machten: Schwimmen, im Winter Schlittschuhlaufen und all das. Zu meinen Freunden gehörten jüdische und nichtjüdische Kinder. Was in der Welt um mich herum vor sich ging, bemerkte ich kaum, denn meine Eltern, die damals schon viele traurige Erfahrungen machen mußten, schützten mich davor.

Etwas später gab es einen weiteren merkwürdigen Vorfall. Ich durfte die Schlittschuhstunden nicht weiter besuchen – einfach, weil ich Jüdin war. Die Lehrerin, die mich privat unterwiesen hatte, rief meine Mutter an und sagte, sie wolle mich gern behalten, da ich nicht jüdisch aussehe; aber das lehnte meine Mutter ab. Es verstieß gegen die Grundsätze meiner Eltern, aus der Tatsache meines nichtjüdischen Aussehens Kapital zu schlagen; außerdem wußten sie, daß die Lehrerin ernste Schwierigkeiten bekommen würde, wenn die Sache herauskam.

Dann kam eine noch schlimmere Erfahrung. Ich ging für mein Leben gern schwimmen. Eines Tages wollte ich mit einer nichtjüdischen Freundin und deren Eltern ins Freibad gehen, wo wir schon oft gewesen waren. Jetzt hing am Eingang ein großes Schild, auf dem stand: »Hunde und Juden kein Einlaß.«

Das waren kleine Vorfälle, aber auf mich wirkten sie so stark, daß ich glaubte, das Ende der Welt wäre gekommen. Ich war ja ein Kind! Das Ende der Welt? Schlimmeres, viel Schlimmeres erwartete mich.

Während des größten Teils meiner Kindheit wohnten wir in einer Wohnung im Parterre. Sie bestand aus vielen Zimmern, und mein Vater hatte sein Büro ebenfalls in der Wohnung, wo er mit einer Sekretärin arbeitete. Wir hatten auch ein Hausmädchen. Nur weil mein Vater Geschäftsverbindungen mit Holland und der Schweiz hatte, konnte er damals weiterhin Geld verdienen, während so viele jüdische Frauen und Männer Mitte der dreißiger Jahre Beruf und Lebensunterhalt verloren. Dann gab es eine Verordnung, die es Nichtjuden verbot, für Juden zu arbeiten. Wir zogen in eine viel kleinere Wohnung um. Meine Mutter machte den Haushalt allein, und mein Vater hatte statt eines Büros nur noch einen Schreibtisch im Eßzimmer. Nachts war das Eßzimmer mein Schlafzimmer.

Am 9. November 1938 drangen die Schlägertrupps der Nazis in unsere Wohnung ein und zerstörten sie fast vollständig. Alle jüdischen Wohnungen wurden in dieser Nacht zerstört und geplündert, alle Synagogen in Brand gesteckt und viele Juden in Konzentrationslager deportiert. In der Folge dieser unerwarteten Ausschreitungen wurden die Bemühungen um Fluchtmöglichkeiten verstärkt. Einige Betroffene verübten Selbstmord, indem sie aus dem Fenster sprangen.

Die große Menge von zerbrochenem Glas in dieser Nacht gab ihr den besonderen Namen: »Kristallnacht«.

Jakob J. Petuchowski
(Cincinnati, USA)
Aus Berlin

Was haben das Britische Museum, Bloom's Kosher Restaurant und Charlie Chaplin gemeinsam? Nur das: daß sie alle dicht gedrängt im Zeitraum von nur ein paar Stunden während jener zwei Tage auftauchten, die mein Leben veränderten – und retteten.

In meinem Besitz befindet sich ein Dokument mit dem Titel »Aliens Order 1920«, ausgestellt am 30. Juli 1941 – an meinem sechzehnten Geburtstag – in East Lothian, in Schottland. Es bestätigt die Tatsache, daß ich am 22. Mai 1939 in Großbritannien eingereist bin, und bemerkt unter »Beruf oder ausgeübte Tätigkeit«: »Landwirtschaftshelfer in Ausbildung«. Ein Foto, das dem Dokument beiliegt, zeigt mich in der Arbeitskleidung eines Landwirtschaftsgehilfen. Mein Gesicht drückt alles andere als Freude aus. Vielleicht bin ich einfach nicht der geborene Landwirtschaftshelfer. Aber als ich am Ende die Landwirtschaftsschule in Schottland verließ, um meine rabbinischen Studien fortzuführen, bemerkte jemand: »Die Bauern werden immer sagen, daß du ein guter Rabbiner bist, und die Rabbiner werden sagen, du bist ein guter Bauer.« Vielleicht hatte dieser Jemand recht. Jedenfalls trug mein Status als »Landwirtschaftshelfer in Ausbildung« dazu bei, daß mir an meinem sechzehnten Geburtstag die Internierung erspart blieb.

Aber jetzt von vorn. Wir haben den 22. Mai 1939, den Tag meiner Ankunft in England, und nun kommen das Britische Museum, Bloom's und Charlie Chaplin ins Spiel. Dieser Tag war auch der Geburtstag meiner lieben Mutter, ihr erster Geburtstag seit meiner Geburt, den ich nicht mit ihr zusammen verbrachte. Noch sollte ich jemals wieder einen ihrer Geburtstage mit ihr zusammen verbringen. Am Tag zuvor, am 21. Mai 1939, hatten wir uns tieftraurig voneinander verabschiedet – auf einem Bahnsteig in Berlin. Dort sah ich sie zum letztenmal. Sie ist ein Teil der »sechs Millionen« geworden. Zu jener Zeit konnte das natürlich niemand voraussehen, obwohl seit 1933 schon so vieles geschehen war. Es gab die Hoffnung, daß wir uns in England wiedersahen – bald. Für ein Muttersöhnchen wie mich war es schlimm genug, aus seiner vertrauten Umgebung und den liebenden, verwöhnenden Armen der Mutter gerissen zu werden.

Die Eisenbahnfahrt nach Holland verlief ohne Zwischenfälle. Wir bestiegen die Fähre nach Harwich. Nachts überquerten wir den Ärmelkanal, und am nächsten Morgen trank ich an Deck meinen ersten Becher Tee mit Milch. Es schmeckte gar nicht schlecht. Aber aus irgendeinem geheimnisvollen Grund kann ich bis auf den heutigen Tag nur in England Tee mit Milch trinken. Überall sonst auf der Welt will mir dieses absonderliche Gebräu einfach nicht die Kehle hinunter.

Nach der Ankunft in Harwich wurde die gesamte Kinderhorde in einen Zug getrieben, der uns nach London brachte. Dort erwarteten uns Mitglieder des Flüchtlingskomitees und Betreuer, die uns an unsere nächsten Zielorte bringen sollten.

Was soll man in der Hauptstadt des britischen Empire schon anfangen mit Dutzenden von müden, ungewaschenen, hungrigen deutsch-jüdischen Flüchtlingskindern, die über vierundzwanzig Stunden unterwegs gewesen waren? Unser freundliches Empfangskomitee war um eine Antwort auf dieses Problem nicht verlegen: Mit Bussen wurden wir zum Britischen Museum gefahren, wo wir auf einer Führung all seine Schätze bestaunen durften. Allerdings weiß ich, ehrlich gesagt, nicht mehr, was wir sahen. Ich bin nicht einmal sicher, ob es mir gelang, während der ganzen Zeit die Augen offen zu halten. Jedenfalls wurde ich an jenem Tag, dem 22. Mai 1939, erstmals mit den kulturellen Reichtümern Großbritanniens bekannt gemacht. Im nachhinein erscheint es mir durchaus sinnvoll, daß man die Kultur damals vor das Essen an die erste Stelle setzte – obwohl wir Kinder gänzlich anders darüber gedacht haben dürften.

Schließlich durften wir also die Busse wieder besteigen, und man brachte uns zu Bloom's Kosher Restaurant, wo wir unsere erste richtige Mahlzeit nach dem Verlassen Deutschlands einnahmen. Ich erinnere mich nicht mehr, was es gab. Das wichtigste war, daß ich meinen Hunger stillen konnte; dafür waren auch alle anderen dankbar.

Ich erfuhr, daß ich nicht in London bleiben sollte. Mein Bestimmungsort war die Whittingehame Farm School in Schottland. Aber es war noch eine lange Zeit zu überbrücken, bis wir den Nachtzug nach Edinburgh besteigen konnten. Wir gingen also ins Kino und sahen Charlie Chaplin im ›Großen Diktator‹. Ein Jahr Englischunterricht an einer Berliner Jüdischen Schule reichte gewiß nicht aus, um den Dialog mit all seinen Raffinessen zu verstehen, aber Chaplins Schauspielkunst entschädigte mich vollauf für alles, was ich sprachlich nicht mitbekam. Und was es allein schon bedeutete, daß wir dreißig Stunden nach unserer glücklichen Flucht aus Nazi-Deutschland sehen konnten, wie man sich über den Führer lustig machte! Und daß wir ungestraft lachen konnten über das, was hinter uns lag! Jetzt hatten wir endgültig die Gewißheit, daß wir in einem freien Land angekommen waren, und wir atmeten auf.

Während der Eisenbahnfahrt nach Edinburgh in dieser Nacht fanden viele von uns Kindern keinen Schlaf. Die vielen neuen Eindrücke der letzten Stunden, ganz zu schweigen von den köstlichen koscheren Würsten bei Bloom's – all das mußte schließlich verdaut werden; und die Zukunft war ungewiß. Am 23. Mai 1939 kamen wir pünktlich in Edinburgh an. Das Datum war in diesem Jahr der Vorabend des Wochenfestes, Schawuot*. An der Whittingehame Farm School blieben jene, die es wollten, traditionsgemäß die ganze Nacht wach, um miteinander

Abschnitte aus der Thora und andere Bibelschriften und rabbinische Texte zu lesen. Das Jahr, in dem ich Bar Mizwa hatte, war noch nicht vollendet, und ich war naturgemäß begierig darauf, als ein erwachsener Jude an diesem nächtlichen Gemeinschaftsstudium teilzunehmen. Wir hatten kaum das zweite der fünf Bücher Mosis beendet – da überwältigte mich schließlich der Schlaf.

Seither bin ich oft im Britischen Museum gewesen; 1978 saß ich in der berühmten Bibliothek, um zu forschen. Ich habe viele köstliche Mahlzeiten bei Bloom's verzehrt, und auch den ›Großen Diktator‹ habe ich später wiedergesehen. Aber die Wiederholungen reichen nicht an das heran, was alle drei Erlebnisse zusammen an jenem 22. Mai 1939 für mich bedeuteten. Damals standen sie für die Freiheit. Wenn ich heute daran zurückdenke, empfinde ich tiefe Dankbarkeit für jene, die mein Leben retteten.

Manfred Lindenbaum
(USA)
Aus Unna

Obwohl ich damals noch ein Kind war, erinnere ich mich sehr deutlich an die Monate, die dem Ausbruch des Krieges vorangingen. Der Krieg gegen die Juden war ja schon viel früher losgegangen. Als ich in die Schule kam, verging kaum ein Tag, ohne daß Lehrer gegen Juden und Ausländer hetzten – in Anwesenheit jüdischer Kinder! Zuerst waren wir nur Geächtete, später ging man dann mit brutaler Gewalt gegen uns vor.

Im Herbst des Jahres 1938, kurz nach unseren Hohen Feiertagen*, kündigten die Nazis an, daß alle Juden mit polnischem Paß nach Polen zurückkehren müßten. Das betraf meine Eltern, obwohl sie schon in zweiter Generation in Deutschland lebten. Wir mußten uns auf der Polizeiwache melden. Man erlaubte uns, zehn deutsche Mark und einen Koffer mitzunehmen; alles andere wurde beschlagnahmt. Dann brachte man uns zum Bahnhof in Dortmund und zwang uns, den Zug zu besteigen. Unsere Familie, das waren meine Mutter und mein Vater, meine ältere Schwester, mein jüngerer Bruder und mein Großvater, der blind war. Es war Freitagabend. Keiner von uns hatte jemals am Sabbat eine Reise unternommen.*

Ich erinnere mich, wie ich den Zug bestieg, aber von der Fahrt selbst weiß ich fast nichts mehr. Vielleicht überleben wir die schlimmsten Prüfungen der Kindheit, weil wir zur richtigen Zeit schlafen können. Was mit uns geschah, geschah so oder ähnlich auf allen wichtigen Bahnhöfen in Deutschland. Etwa fünfundzwanzigtausend Menschen wurden in die Grenzstadt Zbąszyń verfrachtet. Viele von ihnen jagte die deutsche SS über das Niemandsland, das die Grenze zwischen Deutschland und Polen bildete. Mit vorgehaltenem Gewehr zwang man Männer, Frauen und Kinder, auch Alte und Kranke, um ihr Leben zu laufen. Ich war erst acht – und doch erinnere ich mich noch ganz genau!

Ungefähr zehn Monate lebten wir in Zbązsyń unter primitivsten Bedingungen. In einem halb fertig gebauten Fabrikgebäude schliefen wir mit fünfzig anderen Leuten auf Stroh. Polnische Jüdische Gemeinden versorgten uns mit Nahrung und Kleidung. Aber der Krieg stand unmittelbar bevor. Wir hörten von den Greueln der »Kristallnacht«. Jemand erzählte uns, daß man unsere Synagoge in Unna zerstört hatte.

Jüdische Gemeinden auf der ganzen Welt setzten sich für uns ein. Sie appellierten an ihre Regierungen, etwas zu unternehmen. England erklärte sich bereit, Kinder aufzunehmen, unter der Bedingung, daß sich Bürgen fänden. Die neuen Immigranten sollten dem Land nicht zur Last fallen. Es bildeten sich Komitees, die das Ganze organisierten. Jeder Tag zählte jetzt.

Tausende von Flüchtlingen in Zbazsyń waren sich der Gefahr der deutschen Invasion in Polen klar bewußt. Wir hörten von den englischen Bemühungen um Rettung jüdischer Kinder. Viele Eltern meldeten sich bei den Stellen, die die Kindertransporte organisierten. Aber nicht alle. Nicht alle konnten sich abfinden mit dem Preis der Sicherheit ihrer Kinder, dem bitteren Verzicht.

Meine Eltern entschlossen sich im Sommer 1939 zur Weiterreise in den Osten, nach Grodno. Ich erinnere mich, daß wir wieder alle zusammen zum Bahnhof gingen. Wir warteten am Bahnsteig auf den Zug nach Grodno. Da kam plötzlich ein Mann gelaufen. Er war außer Atem, und er bat alle, ihm zuzuhören. Er gehörte zu einem der Komitees und hatte eine Liste mit den Namen jener Kinder, deren Papiere für die Fahrt nach England eben eingetroffen waren.

Meine Eltern hatten nur ein paar kurze Augenblicke, um zu überlegen. Sie entschieden sich für die Sicherheit ihrer Kinder. Meine Schwester war dreizehn, mein Bruder sieben, ich war neun. Wir blieben auf dem Bahnsteig zurück und sahen, wie der Zug mit unseren Eltern und dem Großvater losfuhr. Mein Bruder und ich kamen am 29. August 1939 in London an – drei Tage vor dem Einmarsch in Polen. Meine Schwester hätte das nächste Schiff nehmen sollen ...

Mein Bruder und ich lebten während des Krieges in England. Wir hatten es relativ gut, zumindest hungerten und froren wir nicht wie so viele andere.

Es ist schon so vieles geschrieben worden über jene Zeit. Vielleicht noch nicht genug. Wir müssen uns erinnern. Wir müssen auch denen unsere Erlebnisse in Erinnerung bringen, die Gefahr laufen, zu vergessen. Wir müssen es jenen Menschen erzählen, die noch nichts wissen, und wir müssen jene wachrütteln, die von der Vergangenheit nichts mehr hören wollen.

Alfred Terry
(Grantham, England)
Alfred Tery aus Wien

Wissen Sie, ich schreibe meine Geschichte hier nicht zum erstenmal auf! Aber sie wird auch für Sie, lieber unbekannter Leser, von Interesse sein.

Ich kam als einziges Kind meiner Eltern Paul und Gisela Tery in der schönen Stadt Wien zur Welt und entwikkelte mich bald zu einem erstaunlich frühreifen und frechen kleinen Buben. Mit elf gelang es mir sogar, diesem fürchterlichen Mörder Hitler und seiner ganzen Bande gestörter Anhänger zu entwischen. Das war damals, noch vor dem Krieg, während später viele Millionen Menschen zu Opfern seiner bösen Absichten werden sollten. Der Gedanke, überlebt und gewonnen zu haben, ist zuweilen recht erfrischend, aber man kommt auch um ein gewisses Gefühl von Schuld nicht herum. Hätte ich anderen helfen können, dem Tod zu entkommen? Warum schaffte ich es nicht, meine eigenen Eltern zur Flucht zu überreden?

Vorwürfe dieser Art machen keinen wieder lebendig, soviel steht fest. Besser, man hält sich an die Tatsachen.

Kurz nach dem Anschluß kam einer von Tausenden widerwärtiger Deutscher, die im Gefolge der Panzer nach Wien hineingedrängt waren, und es gelang ihm, sich durch betrügerische Machenschaften des kleinen Geschäfts meines Vaters zu bemächtigen. Das brachte meinen Vater beinahe dazu, vor Wut zu explodieren. Wenn ich ihn nicht zusammen mit meiner Mutter gewaltsam festgehalten hätte, wäre er vom Fleck weg verhaftet worden, und wir hätten wahrscheinlich nie mehr etwas von ihm gehört.

Mein Vater hatte als Privatlehrer klassische Sprachen unterrichtet, und all seine Schüler (die meisten waren Juden, denen man, wie übrigens auch mir, den Besuch öffentlicher Schulen verwehrt hatte) waren gezwungen worden, ihn binnen kürzester Zeit nicht mehr aufzusuchen. Mein Vater, ein hochgebildeter Mann, bekam einen Nervenzusammenbruch – denn er stand nun vor dem Nichts. Tagelang streifte er, sich die Haare raufend, durch die Stadt. Wie furchtbar hatte er sich verändert! Man hätte es nicht geglaubt, wenn man es nicht mit eigenen Augen hätte sehen können. Meine Mutter mußte sich bei Frau Professor Tedesco, deren Wohnung nicht weit von der unseren entfernt lag, als Putzfrau verdingen. Die Bibliothek dieser freundlichen Frau übte auf mich eine ungeheure Faszination aus.

Wir erfuhren von den Kindertransporten nach England und bewarben uns im Sommer 1938 um einen Platz. Aber das war erst der Anfang. Wir brauchten Papiere für mich (mein Vater war zu dieser Zeit staatenlos, was die Sache nicht gerade einfacher machte), und es gab niemanden in meiner Familie, der in der Lage gewesen wäre, all die mühevollen und zeitaufwendigen Behördengänge auf sich zu nehmen. Bekanntermaßen waren darüber hinaus sämtliche Ämter mit verängstigten Menschen überschwemmt, die alle versuchten, Papiere und Dokumente zu bekommen. Welche Entschlußkraft war nötig, diese Gänge, die von einem Ende der Stadt zum anderen führten, zu absolvieren, wie oft wurden alle Anstrengungen durch die Winkelzüge der Bürokratie zunichte gemacht! Ich kann Ihnen versichern, es war nicht einfach. Und ich war bei alldem ganz auf mich gestellt, hatte keinerlei Hilfe von Erwachsenen.

In der sommerlichen Gluthitze des Jahres 1938 schlängelte ich mich auf meinem Fahrrad durch den Verkehr, und nach vieler Mühe hatte ich zu Beginn des Winters endlich alle Bescheinigungen und Dokumente beisammen. Wir wohnten in einer bescheidenen Wohnung. Von dort brach ich jeden Morgen auf und widmete mich meiner Aufgabe. Wie mein Vater den Tag verbrachte, blieb mir ein Rätsel, aber seine Nerven waren dermaßen zerrüttet, daß man zumindest von seiner Seite keinerlei Hilfe erwarten konnte.

Dann mußte ich die größte Hürde von allen überwinden – wer jemals vor dem Paßamt in der Prinz-Eugen-Straße gewartet hat, wird wissen, was ich meine. Am Eingangstor standen deutsche Wachposten, die in willkürlichen Abständen eine bestimmte Anzahl zitternder Juden einließen. Viele Tage und Nächte – in Schnee und Kälte – wartete man in der Schlange vor dem Gebäude. Es sah aus wie ein Palast, und im ersten Stock gab es eine große Halle, wo etwa zwanzig Tische aufgestellt worden waren. An jedem dieser Tische mußte man anhalten und jeweils ein besonderes Papier vorweisen, am letzten bezahlte man die Gebühr, und dann mußte man drei Wochen warten – auch dafür gab es ein entsprechendes Dokument – und erhielt endlich seinen Paß. Die ganze Prozedur war so umständlich wie möglich organisiert, und jeder, der sich Papiere zu besorgen versuchte, hatte bald Alpträume von der kilometerlangen Schlange rund um das Gebäude. Oft wechselten sich die Mitglieder einer Familie beim geduldigen Warten ab. Aber es gab keinen anderen Weg, außer es passierte ein Wunder, und Wunder waren rar in jenen Zeiten.

Glücklicherweise ist ein solches Wunder an mir geschehen, und deshalb bin ich nun hier und kann meine Geschichte aufschreiben.

Als ich an einem frühen Novembermorgen in der Prinz-Eugen-Straße ankam mit meiner dicken Mappe voller Papiere unter dem Arm, wurde mir die Hoffnungslosigkeit meiner Lage, die meine Mutter schon früher erkannt hatte, sogleich klar. Es war eisig kalt, und es lag Schnee. Ich versuchte gar nicht erst, mich an dieser Riesenschlange hinten anzustellen, sondern ging nur stampfend auf und ab, um meine Füße warm zu halten. Der Morgen graute, und ich zitterte vor Kälte. Plötzlich kam ein Fremder auf mich zu, der, wie ich bemerkte, das Hakenkreuz-Abzeichen am Revers trug. Mein sofortiger Instinkt war fortzulaufen, so schnell ich konnte.

Ich preßte meine Papiere an mich, aber der Mann hielt mich zurück. Er lud mich in ein nahegelegenes Café zum Frühstück ein, und ich überdachte in aller Eile sein Angebot. Schließlich sagte ich mir, daß ich nichts zu verlieren hatte, und folgte ihm zögernd. Während ich mein Frühstück aß, fragte er mich aus – nach den Papieren, wozu ich sie bräuchte und so fort. Meine Papiere ließ ich keinen Augenblick lang los. Er wollte wissen, ob sie alle in Ordnung seien, und ich sagte ja. Er schien die gesamte Prozedur der Ausstellung eines Passes so genau zu kennen, daß ich bis heute davon überzeugt bin, daß er irgendwann einmal in einem der Ämter gearbeitet haben muß. Aber ich weiß noch immer nicht, wer er eigentlich war... Ein Mann, der sich aus heiterem Himmel eines kleinen Buben annahm, eines vollkommen Fremden... Ein Mann, der mir letzten Endes das Leben rettete.

Kurze Zeit später an diesem Vormittag stieg eine ganze Gruppe von Kindern aus einem Waisenhaus aus der Straßenbahn. Sie hatten einen Ausweis mit Zeitstempel, der sie dazu berechtigte, das Gebäude als Gruppe zu betreten. Der Mann wies mich an, mich unter die anderen Kinder zu mischen. Die Wachposten zählten uns nicht, und wie der Blitz war ich auf einmal oben in der Halle. Alles ging gut. Es gab nur einen übereifrigen Beamten, der mich mißtrauisch beäugte und mir Fragen über mein Alter stellte. Ich war mir der Tatsache bewußt, daß es eigentlich die Aufgabe meiner Eltern gewesen wäre, hier zu stehen, daß ich mit elf Jahren nicht meinen eigenen Paß beantragen konnte, also mußte ich ganz schnell eine plausible Geschichte erfinden. Auch das gelang. Der Beamte winkte mich weiter, und am Ende hatte ich es tatsächlich geschafft, bezahlte meine Gebühr und durfte das Gebäude verlassen.

Als ich heimkehrte, staunten meine Mutter und Frau

Professor Tedesco nicht schlecht über das, was ich erlebt hatte. Unmöglich, daß ich es in einem Tag geschafft hatte, daß ich nun tatsächlich in den Besitz eines Passes kommen würde – und doch wahr!

Nun überspringe ich einige Zeit und gelange zu dem Tag, an dem der sehnlich erwartete Kindertransport endlich zustande kam. Wenn meine verschwommene Erinnerung an jene Nacht vom 10. auf den 11. Januar 1939 mich nicht trügt, sagten wir unseren Eltern in der Eingangshalle des Bahnhofs kurz vor Mitternacht zum letztenmal Lebewohl. Bald darauf rasten wir durch die schwarze Nacht, einem unbekannten Schicksal entgegen. Ich lauschte dem herzzerreißenden Weinen der vielen kleineren Kinder, aber unseren Betreuern gelang es doch am Ende, sie zu beruhigen. Bei Tageslicht näherten wir uns der Grenze zu Holland. Noch einmal versuchten die SS-Männer und Grenzposten, uns kleine Kinder zu erschrecken, und es gelang ihnen auch. Wenn bei der nun stattfindenden Durchsuchung des Zuges irgend etwas Illegales gefunden würde, so drohten sie, würden sie uns alle nach Wien zurückschicken.

An diesen Zwischenfall erinnere ich mich noch gut. Wir saßen da und zitterten vor Angst, und die meisten kleinen Kinder weinten. Aber natürlich war es nur ein Trick – es fand überhaupt keine Durchsuchung statt. Und wer wäre so dumm gewesen, Geld oder Wertsachen mitzuführen nach all den Bedrohungen und Erpressungen, die aus menschlichen Wesen verängstigte, gehetzte Tiere gemacht hatten.

Was mich noch heute so furchtbar aufregt, wenn ich an jene Zeiten denke, ist die Arroganz, die Herrenmenschenattitüde, die sich in jeder Handlung der Deutschen zeigte. Noch heute scheint sie eine Nationaleigenschaft zu sein.

Doch bald kamen Holland, das Törtchen und die Tasse Zitronentee, die jeder Flüchtling erhielt. Dann Hoek van Holland und die Fähre nach Harwich.

Der 12. Januar 1939 war ein Tag, den ich nie vergessen werde. Es war der Tag, an dem ich zum erstenmal britischen Boden betrat. Ein neues Leben voller überraschender Erlebnisse lag vor mir.

Die erste Überraschung war sogleich parat. Nachdem wir ärztlich untersucht worden waren, bestiegen wir den Zug nach London. Gegen Abend kamen wir an, und dann wurden alle Kinder über Lautsprecher aufgerufen und von ihren Pflegeeltern abgeholt. Ich langweilte mich.

Kein Mensch schien irgendein Interesse für mich zu haben, also verließ ich die Halle für ein Weilchen, und als ich zurückkam, mußte ich feststellen, daß ich allein war.

Später an diesem Abend – nachdem man mich endlich wiederentdeckt hatte – erfuhr ich, daß die gesamte Londoner Polizei nach mir gesucht hatte. Ich aber hatte bei einer reichen Dame mit Wagen und Chauffeur Hilfe gesucht und gefunden. Sie hatte mich mitgenommen zu einem Ausflug ins West End, wo sie Einkäufe machte, und dann in dem Heim abgeliefert, dessen Adresse ich wußte. Staunend und mit offenen Armen nahm man mich dort in Empfang.

Das, lieber Leser, ist erst der Anfang. Von vielen weiteren erstaunlichen Abenteuern gäbe es noch eine Menge zu erzählen!

Irene Jacoby
(Norfolk, England)
Aus Danzig

Als ich mit meinem Bruder in London ankam, stiegen wir gleich in den Zug nach Derby um, wo wir von unseren Vormündern abgeholt wurden. Nach der letzten Mahlzeit war eine lange Zeit vergangen, und wir freuten uns auf das Essen im Zug. Ich war noch keine neun, mein Bruder war gerade zwölf geworden.

Wir saßen nebeneinander, unter lauter fremden Leuten, die sich in einer fremden Sprache unterhielten. Dann kam jemand – nach endlosen Stunden, wie mir schien –, der uns belegte Brote brachte und Milch. Ich war hungrig wie ein Wolf, das Wasser lief mir im Mund zusammen. Mein Bruder untersuchte die Brote – sie waren mit Schinken belegt, also Schweinefleisch! Ich glaube, ich hätte in diesem Augenblick alles gegessen, wenn es nur eßbar gewesen wäre, aber mein Bruder erlaubte es mir nicht. Den Rest der Fahrt bis nach Derby verbrachten wir damit, die Brote, die wir nicht essen konnten, sehnsuchtsvoll zu betrachten. Ich erinnere mich, daß ich weinte – heute aber kann ich über die Szene lachen.

Francis Steiner
(Oxford)
Franz Steiner aus Wien

Meine Erinnerungen an den Kindertransport sind lükkenhaft. Das einzige, was ich vom 10. Dezember, meinem letzten Tag in Wien, im Gedächtnis behalten habe, ist, daß ich am Fenster des Zuges stand und einen letzten Blick auf meine Eltern zu erhaschen versuchte, und dann, als der Zug anfuhr, habe ich gerufen: »Ich komme wieder!« – und das zeigt, daß ich mich vielleicht ein wenig von den anderen Kindern abhob, die mit mehr Zuversicht in die Emigration abreisten.

Woran ich mich außerdem noch erinnere, ist die Kälte in den ungeheizten Apartments des Pakefield-Hall-Feriencamps bei Lowestoft, wo man uns nach unserer Ankunft zunächst unterbrachte. Und der erste offene Kamin, den ich in meinem Leben sah, befand sich im Arbeitszimmer des katholischen Priesters in Lowestoft, der sich unserer kleinen Gruppe annahm, als deutlich wurde, daß wir in jenem bitterkalten Dezember nicht im Camp bleiben konnten.

Meine Erfahrungen waren in vieler Hinsicht anders als die der Mehrzahl der anderen Flüchtlingskinder, da ich zu den etwa zehn Prozent jener »nichtarischen« Kinder gehörte, die ihren jüdischen Glauben seit langem verloren hatten. Auch ich war de facto ein Opfer der Shoah und hatte meine Heimat unter Zwang verlassen müssen, aber ich besaß eben keinen jüdischen Hintergrund und fühlte mich fremd unter denen, die mit mir gekommen waren. Ich war in Wien in einer Klosterschule gewesen; unsere Lehrer hatten sich sehr für die nichtarischen Schüler eingesetzt, und ich fühlte und fühle noch heute eine große Dankesschuld ihnen gegenüber.

Ich betrachtete mich als Österreicher. Der Anschluß

Österreichs war schlimm für mich, aber der Triumph der Nationalsozialisten bedeutete für mich zunächst nur, daß ausländische Truppen unser Land besetzten. Es dauerte lange, bis ich begriff, daß mich diese Nationalsozialisten unmittelbar und persönlich bedrohten und daß ich mich vor dieser Bedrohung nur durch die Emigration retten konnte. Ich tat es mit äußerstem Widerstreben. Da ich nun aber fliehen mußte, wollte ich am liebsten nach England, und ich hoffte, daß man mir erlauben würde, in England zu bleiben.

Die meisten anderen Kinder, die mit mir nach England gekommen waren, wußten nichts über unsere Erziehung und unsere Probleme, und als die ersten Quäker in das Camp kamen und fragten, ob unter den Anwesenden auch Kinder nichtjüdischen Glaubens seien, gab es eine große Überraschung, als eine kleine Schar sich meldete. Als das Camp evakuiert wurde, ging unsere kleine Gruppe nicht mit den anderen nach Dovercourt; wir kamen in eine Pension in Felixstowe. Nach zwei Monaten wurde ich von einer Klosterschule aufgenommen – es handelte sich um denselben Benediktinerorden, der auch mein Wiener Gymnasium geführt hatte, bevor es von den Nazis geschlossen worden war. Dort begannen also meine Erziehung und meine Laufbahn in England, die dann alles andere als geradlinig verlief.

Meine Frau ist Engländerin, sie kommt aus einer alteingesessenen bäuerlichen Familie. An der Oberfläche bin ich heute ebenfalls ganz und gar Engländer, ich nehme regen Anteil am englischen Leben, an der englischen Gesellschaft, doch in Wahrheit ist das Problem meiner Identität nicht gelöst. Damals dachte ich, das Problem bestünde darin, daß ich zwei Kulturen angehörte, der meines Ursprungslandes und der meines gewählten Landes. Heute weiß ich, daß es noch komplexer ist. Nach fünfzig Jahren unter den Gojim* werde ich mir meines jüdischen Hintergrundes bewußt, der langen Reihe längst verstorbener jüdischer Ahnen, die bis zu mir führt.

Margot Wohlman-Wertheim
(Jerusalem)
Aus Frankfurt

Der Kindertransport, mit dem ich nach England kam, verließ Frankfurt am Main am 2. Februar 1939. Ich reiste zusammen mit Kindern aller Altersstufen, die aus vielen verschiedenen Orten in Süddeutschland kamen. Ich selbst war damals elf Jahre alt.

Ganz deutlich entsinne ich mich eines Jungen, der mir im Zug gegenübersaß, als wir nach Emmerich gelangten, an der holländischen Grenze. Er trug eine enge, dicht anliegende Kappe, wodurch er für mich Ähnlichkeit bekam mit einem sehr alten Mann. Jemand in unserem Abteil fragte, warum er diese unbequeme Mütze nicht abnehme. Daraufhin zog er sie einen Augenblick vom Kopf, und ich sah, daß er vollkommen kahl war. Da wurde mir klar, daß er geradewegs aus einem Konzentrationslager kommen mußte, denn mein Vater war ebenso kahlköpfig aus Dachau zurückgekommen.

Am 3. September 1939 wurde ich mit Lisa, elf Jahre alt, und Kurt, zehn, nach St. Ives in Huntingdonshire evakuiert. Wir wurden mit Gasmasken und Namensschildern für den Krieg ausgerüstet. Aber erst richtig flau im Magen wurde mir, als ungefähr dreißig gelangweilte und unglückliche englische Kinder, die auf die Zuteilung ihrer Quartiere warteten, einen Kreis um mich bildeten, im Takt auf und ab hüpften und mit ihren Cockneystimmen schrien: »Margaret liebt Eidolf Itler, Margaret liebt Eidolf Itler...!« Die Tatsache, daß ich so schlecht Englisch sprach – ich war ja erst ein paar Monate da –, war der untrügliche Beweis dafür, daß ich eine deutsche Spionin war, und je mehr ich es leugnete, desto sicherer fühlten sich meine Peiniger.

Erst Mrs. Williams, die Lehrerin, die uns von London hierher begleitet hatte, machte dem Spuk ein Ende.

Wir wohnten bei Mrs. Noble, einer armen alten Witwe, deren Interesse an uns sich ausschließlich auf die paar Shillings beschränkte, die sie von der Regierung dafür bekam, daß sie uns bei sich aufnahm. Am ersten Abend bekamen wir gebratenen Schinken mit Brot. Lisa konnte überhaupt kein Englisch, da sie erst vor ein paar Wochen aus Paris gekommen war, und mein Bruder Kurt war der Jüngste, also übernahm ich für uns drei die Sprecherrolle.

»Das dürfen wir nicht essen«, sagte ich.

»Warum nicht?« fragte Mrs. Noble.

»Weil wir Juden sind.«

»Das ist nicht wahr!«

»Warum denn nicht?«

»Ihr habt ja keinen Schwanz!« Und das war es dann, kurz und knapp und ein für allemal. Wir saßen da und aßen nichts. Mrs. Noble saß da und starrte uns zornig an. Dann hatte ich einen Geistesblitz:

»Wir sind Vegetarier!«

»Warum hast du das nicht gleich gesagt – ihr könnt Käse haben, wenn ihr wollt«, erwiderte Mrs. Noble.

Eine Woche später erhielten wir ein Päckchen aus London mit koscheren Würsten von Frohwein's, und meine Erfindungskraft wurde auf eine harte Probe gestellt: Wie konnte ich das Corpus delicti vor Mrs. Noble verstekken? Aber das ist eine andere Geschichte.

Eva Yachnes
(Bronx, New York)
Eva Steiner aus Wien

Mit der ganzen Kraft meiner sechs Jahre klammerte ich mich an meine Großmutter und brüllte in äußerster Panik. Worte erreichten mich nicht mehr; am Ende konnte sie mich nur noch mit Gewalt von sich losreißen und in den Zug mit den anderen Kindern verfrachten. Es war eine Nacht Ende Dezember 1938. Meine Familie hatte endlich einen Weg gefunden, mich aus Österreich hinauszubringen: mit einem Kindertransport. Meine Mutter sollte mich in England abholen, wo sie schon seit April desselben Jahres lebte.

Am nächsten Tag wurde der Zug in Deutschland angehalten, und es kamen Soldaten, die unsere Papiere kontrollierten und das Gepäck durchsuchten.

Ich hielt meinen Mantel fest. »Schau, ich habe Mammis Namen und Adresse hineingenäht. Wenn etwas passiert, zeig das Schild vor und sag, daß du dahin willst«, hatte mir meine Großmutter vor der Abfahrt eingeschärft. Aber die Soldaten waren gar nicht daran interessiert, und bald setzte sich der Zug wieder in Bewegung.

In der Nacht fuhren wir durch Holland und bestiegen anschließend die Fähre. Als wir in England ankamen, mußten wir zuerst in eine Zollbaracke, wo wir flüchtig untersucht wurden. Ich hatte das Pech, von einer Nonne untersucht zu werden – Nonnen mit ihren bauschigen schwarzen Gewändern hatten mir immer angst gemacht. Und diese Nonne sprach Englisch, was sie nur noch bedrohlicher machte.

Danach kamen wir in ein Sommerferienlager für Kinder. Es war ungeheizt, bis auf einen Kanonenofen in der großen Halle. Wir schliefen in kleinen, separaten Häuschen, die rund um das Hauptgebäude angeordnet waren.

Das Gefühl von Wärme nach dem Bad verschwand schnell, obwohl ich einen dicken Flanellschlafanzug bekommen hatte.

»Bewegt die Beine auf und ab«, sagte unsere Betreuerin, als wir bibbernd in den kalten Betten lagen. »Das macht die Laken warm.« Und dann der nächste Morgen, als man in der Kälte aufstehen und sich anziehen mußte. Es war schrecklich. Wir zogen alles an, was wir hatten, und stellten uns paarweise auf für den Marsch zum Frühstück.

Den ganzen Tag über kamen Leute, die Kinder zu sich nehmen wollten. Die meisten Kinder dieses Transports waren Waisen, oder ihre Eltern waren in Österreich zurückgeblieben. In dieser ganzen Verwirrung und Eile hatte keiner die Zeit, sich an ein kleines Mädchen zu erinnern, das behauptet hatte, seine Mutter lebe in England. Und keiner hatte meine Mutter davon in Kenntnis gesetzt, daß unser Zug angekommen war und wo ich mich befand.

So kam es, daß ich von einem jungen kongregationalistischen Priester ausgewählt wurde, der einen vierjährigen Sohn hatte und ein Mädchen etwa desselben Alters adoptieren wollte.

Es war gerade Weihnachten gewesen, und meine neue Familie hatte mir ein Geschenk mitgebracht – eine Babypuppe in einem blauen gehäkelten Strampelanzug. Ich hatte meine geliebten Puppen zurücklassen müssen, so daß ich von diesem Geschenk überaus entzückt war. Ich nahm meine neue Puppe überallhin mit, und sie schlief an meiner Seite.

Der kleine Junge zeigte mir seine elektrische Eisenbahn. Wir beide verständigten uns in Zeichensprache. Bevor ich Wien verlassen hatte, hatte mein Vater versucht, mir ein wenig Englisch beizubringen, aber das war schon im Juli gewesen. Das einzige, woran ich mich noch erinnerte, war Yes und No. Ich benutzte diese beiden Wörter so oft wie möglich, obwohl ich immer nur raten konnte, was man zu mir sagte.

Der Priester konnte bruchstückhaft Deutsch, seine Frau

aber nicht. Ich zeigte ihnen das Schild in meinem Mantel und versuchte ihnen zu sagen, daß das der Name meiner Mutter war und ihre Adresse. Aber es gelang mir nicht. Sie waren überzeugt davon, daß ich ein Waisenkind war. Obwohl sie sich nicht vorstellen konnten, was das Schild in meinem Mantel bedeutete, schrieben sie dennoch auf gut Glück einen Brief an die Adresse. So kam es, daß meine Mutter mich am Ende wiederfand.

»Liebe Unbekannte«, begann jener Brief. »Wir haben hier ein kleines Mädchen, in dessen Mantel wir Ihren Namen und Ihre Adresse fanden.«

Eli Rosner
(New York)
Aus Berlin

Ich wurde 1927 in Berlin geboren, aber von Hitler bekam ich wenig mit. Jedoch erinnere ich mich daran, daß wir auf dem Schulweg verprügelt wurden. Überall marschierten die Stoßtrupps der Nazis, und ihre Fahnen hingen aus den Fenstern. Ich erinnere mich, daß man immer, wenn man eine Fahne sah, salutieren und »Heil Hitler« sagen mußte, aber Juden war es nicht erlaubt, »Heil Hitler« zu sagen. Wenn man es doch sagte, wurde man verprügelt. Wenn man es nicht sagte, wußten sie, daß man ein Jude war, und man wurde auch verprügelt. Einige Mitglieder meiner Familie emigrierten nach Israel; meine Eltern warteten auf ein Visum für Amerika; 1940, als es endlich eintraf, war es zu spät.

Ich erinnere mich noch genau an den 28. Oktober 1938, als die Deutschen kamen. Wir hatten einen Lebensmittelladen. Mein Vater ging jeden Tag um drei Uhr früh zum Markt; zwischen halb sechs und sechs kam er zurück, räumte die Sachen ein und öffnete den Laden. Er kam dann nie noch einmal in die Wohnung zurück, obwohl sie direkt neben dem Laden war. An diesem Morgen aber kam er, nachdem er auf dem Markt gewesen war, aus irgendeinem Grund doch in die Wohnung, und dort wartete die Gestapo auf ihn. Sie nahmen ihn mit. Dann brachen sie in den Laden ein, machten alles kaputt und warfen die Sachen auf die Straße. Sie kamen auch in die Wohnung, weil einer ihrer Führer der Sohn des Hauswirts war, und sie fingen an, unsere Möbel umzuwerfen und darauf herumzutrampeln, bis der Hauswirt herunterkam und sagte: »Reicht das nicht?« und sie schließlich verjagte. Er war doch ein recht netter Mann, aber sie hatten ja alle Angst, weil die Kinder taten, was sie wollten, und sich gegen ihre Eltern wandten.

Sie wurden dazu ermuntert, zu verraten und zu denunzieren. Sie wurden als Helden gefeiert, wenn sie erzählten, was zu Hause passierte, worüber die Eltern redeten, und natürlich wollten sie alle Helden sein und groß rauskommen. Man hatte es nicht glauben wollen, aber es stimmte. Leute, mit denen man aufgewachsen war, verwandelten sich plötzlich in wilde Tiere.

An demselben Tag wurden auch alle polnischen Staatsangehörigen deportiert. Sie schoben sie über die Grenze ab und schickten Truppen, die sie bewachten und verhinderten, daß einer zurückkam. In Zbąszyń entstand ein Lager, direkt an der Grenze zwischen Deutschland und Polen. Tausende von polnischen Juden waren dort eingesperrt. Meine Mutter erkannte, daß es so nicht weitergehen konnte, daß wir nicht einfach die Hände in den Schoß legen durften.

Der einzige Weg der Rettung führte damals über Holland, und nur Kinder konnten ihn gehen. Erwachsene mußten Papiere haben, und die Deutschen gaben ihnen diese Papiere nicht. Meine Mutter entschloß sich, wenigstens die Kinder zu retten, das heißt meine Schwester, acht Jahre alt, meinen Bruder, drei Jahre alt, und mich, elf Jahre alt. Es gab noch eine Cousine, die mit uns kam, sie war ungefähr dreizehn.

Im Dezember 1938 brachte uns meine Mutter mit der Eisenbahn an die holländische Grenze, dort verließ sie uns, und wir überquerten die Grenze allein. Am nächsten holländischen Bahnhof wurden wir von Mitgliedern des jüdischen Flüchtlingskomitees erwartet. Sie waren da, weil jeden Tag Kinder über die Grenze geschickt wurden. Wir kamen in ein kleines Lager, wo zeitweilig ungefähr fünfzig Kinder untergebracht waren. Die Holländer waren freundlich, und sie behandelten uns sehr gut.

Bis April 1939 blieben wir in Holland, dann wurde ich

mit meinem Bruder zusammen nach England geschickt. Meine Schwester geriet völlig außer sich: Sie sprang auf den fahrenden Zug auf, weil sie nicht allein dort bleiben wollte, und man mußte sie mit Gewalt zurückholen. Wir hatten aber nichts zu sagen bei dieser Sache. Für uns war es eine Katastrophe: Die zwei Jungen in England, meine Schwester in Holland, meine Mutter in Deutschland, mein Vater in Polen – wir waren über ganz Europa verstreut.

Nach einiger Zeit gelang es meiner Mutter, heimlich über die Grenze nach Belgien zu flüchten, und auch meine Schwester kam nach Belgien, so daß wenigstens sie beide zusammen waren. Dann versuchte mein Vater, die Erlaubnis zu erhalten, für ein, zwei Wochen nach Deutschland zurückzukehren, um Geld zu holen; und die Deutschen erlaubten es ihm, weil sie dachten, wenn er das Geld geholt hatte, würden sie es ihm abnehmen und ihn wieder ins Lager stecken. Aber mein Vater fuhr geradewegs nach Köln und beauftragte jemanden, ihn nach Belgien zu schmuggeln. Beim erstenmal, im Frühjahr 1939, ließ der Schmuggler ihn mitten im verschneiten Gelände im Stich. Beim zweitenmal schafften sie es nicht, weil zu viele Grenzposten da waren. Sie mußten umkehren. Beim drittenmal kamen sie durch, und so trafen sich meine Eltern und meine Schwester in Belgien wieder.

Sie versteckten sich in Brüssel und zogen alle paar Monate von einer Unterkunft in die nächste. Einmal war es ein Untermietszimmer, dann ein Keller, eine Garage – sie nahmen, was sie bekamen. Sie wohnten bei Leuten, von denen sie den Eindruck hatten, daß sie ihnen trauen konnten, nachdem sie sie mit einem Teil des Silberbestecks, einem Damasttischtuch oder etwas anderem bestochen hatten. Einmal wohnten sie in einem Haus, wo es einen Lehrer gab, der meiner Schwester Französisch beibrachte.

Meine Schwester trug eine Kette mit einem Kreuz,

wenn sie einkaufen ging. Karotten, Rote Rüben, nur solche Sachen konnten sie sich leisten, und sie kaufte immer nur auf dem Markt ein, nie in einem Laden, wo man sie leichter hätte wiedererkennen können. Sie aßen Rübensuppe. Mein Vater fastete jeden Montag und jeden Donnerstag, damit meine Schwester mehr zu essen bekam. Jeden Tag und jede Woche passierte irgend etwas, und wenn man den Tag überstand, war es ein Wunder. Manchmal gingen sie drei oder vier Monate lang nicht auf die Straße. Um zwei Uhr in der Nacht, wenn alles schlief, machten sie das Fenster auf, um ein bißchen frische Luft zu bekommen.

Als ich im April 1939 nach England kam, brachte man mich und meinen Bruder in ein Lager mit etwa hundert Jungen, die fast alle aus Wien stammten. Mein Bruder war der jüngste von allen, und wo er hinkam, verursachte er regelmäßig großen Wirbel. Das jüdische Komitee teilte mir mit, ich könne einen Flug nach Amerika bekommen, mit Visum und allem, aber es gebe nur einen Platz. Ich wollte jedoch nicht ohne meinen Bruder gehen. Darauf erwiderten sie, daß er von einer Familie adoptiert werden solle. Das allerdings wollte ich nicht, weil ich wußte, daß er seine richtige Familie vergessen würde, wenn er in diesem Alter adoptiert wurde. Also blieben wir ungefähr ein Jahr lang in diesem Lager zusammen. Nicht weit von diesem befand sich ein anderes Lager für kleine Kinder, und ich sorgte dafür, daß mein Bruder dort untergebracht wurde. Dort aß man koscher, das Lager wurde von Juden geleitet, aber die nächste Schul war fünfunddreißig Meilen weit weg. Sie fuhren vielleicht einmal alle drei oder vier Monate dorthin und hatten zwei Stunden Unterricht. Und es gab keinen Gottesdienst.

Ich hatte einen Onkel in der britischen Armee, der die Landung in der Normandie mitmachte. Als Brüssel befreit wurde, bekam er einen Sonderausweis und fuhr hin, um meine Eltern zu suchen. Als er sie fand, waren sie in einem fürchterlichen Zustand. Mein Onkel zog sich aus, gab meinem Vater seine Unterwäsche und seine Socken und ein Stück Seife, das er im Gepäck hatte.

Sobald er wieder in England war, packte ich meine Sachen zusammen. Ich besorgte mir ein belgisches Visum und fuhr sofort hin, um meine Familie wiederzutreffen.

Sessi Jakobovits
(Montreal, Kanada)
Sessi Dzialowski aus Leipzig

Meine beiden Brüder, fünfzehn und dreizehn Jahre alt, und ich, elf Jahre alt, verließen Leipzig am 29. November in Richtung Berlin, wo die zum Transport ausgewählten Kinder mehrerer Städte nach England abfahren sollten.

Als meine eigenen Kinder und Enkelkinder in das Alter kamen, in dem ich damals war, habe ich mich jedesmal aufs neue gefragt, ob ich dazu fähig wäre, sie fortzuschikken ins Unbekannte, auch wenn ich wüßte, daß ich damit ihr Leben rettete. Ich weiß es nicht.

Unsere geliebte Mutter hatte uns gesagt, daß wir alle am Fenster stehen sollten, wenn der Zug am nächsten Morgen Berlin verlassen und eine bestimmte Brücke passieren würde – und wir standen am Fenster und sahen unsere Mutter am Fuß der Brücke stehen, wie sie es versprochen hatte. Sie erhaschte einen letzten Blick auf uns und winkte uns ein letztes tapferes, lächelndes Lebewohl zu. Dieses Bild werde ich nicht vergessen, solange ich lebe.

Um sich die Zeit zu vertreiben und in Ermangelung eines besseren Partners weihten mich meine Brüder in die Anfangsgründe des Schachspiels ein. Von diesem Zeitpunkt an verhielten sie sich wie Vater und Mutter zu mir und fühlten sich in jeder Weise für mich verantwortlich – was bis heute so geblieben ist. In unserer Begleitung befand sich auch eine Cousine von uns, drei Jahre älter als ich.

Wie groß war die Erleichterung, als wir sicher in Holland angekommen waren! Der Zug gewann erneut an Fahrt, da erschienen zwei junge Damen. Sie hatten die Türen aller Abteile geöffnet und kamen endlich auch zu uns. Man stelle sich unsere Freude vor, als wir sie fragen

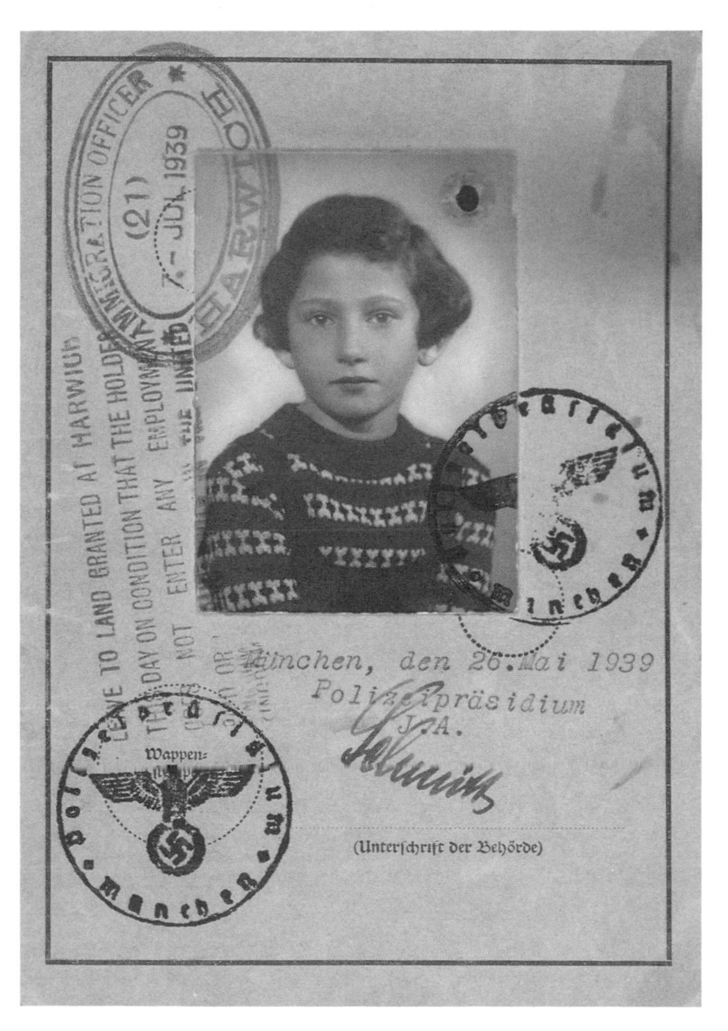
IMMIGRATION OFFICER (21) 7 - JUL 1939 HARWICH

LEAVE TO LAND GRANTED AT HARWICH
THIS DAY ON CONDITION THAT THE HOLDER
NOT ENTER ANY EMPLOYMENT
THE UNITED

München, den 26. Mai 1939
Polizeipräsidium
J.A.

Wappen-

(Unterschrift der Behörde)

Kinderausweis mit Einreisevisum der englischen Behörden

Abschied am Schlesischen Bahnhof in Berlin

Im Zug

Zollkontrolle in Hoek van Holland

Flüchtlingskinder aus Wien

Auf dem Schiff

Ankunft eines Kindertransports in Harwich

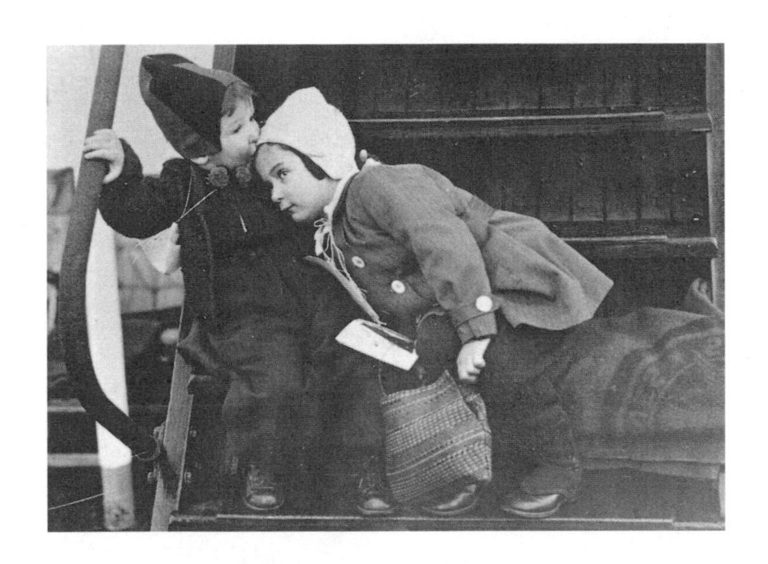

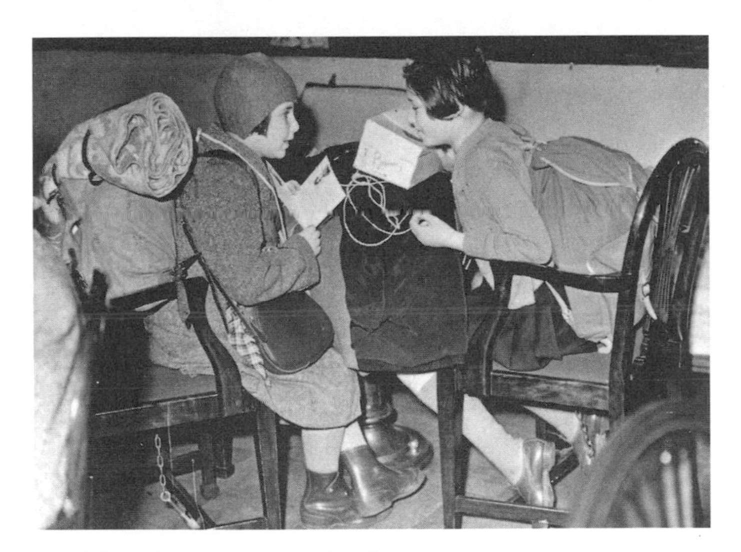

Flüchtlingskinder bei der Ankunft

Warten auf die Pflegeeltern?

Ärztliche Untersuchung der Neuankömmlinge

Auf dem Weg ins Aufnahmelager

Einsammeln der Wärmeflaschen in Dovercourt

Dovercourt Holiday Camp

hörten: »Heißt hier jemand Dzialowski?« Es waren die holländischen Cousinen meines Vaters, die an der Grenze zugestiegen waren und im Auftrag der Jüdischen Gemeinden von Amsterdam und Rotterdam für alle Kinder belegte Brote und Obst mitgebracht hatten.

Am selben Nachmittag bezogen wir in einem hübschen Sommerferienlager namens Dovercourt Bay Quartier.

Wir waren eine Gruppe von etwa fünfundsechzig Orthodoxen unter insgesamt zweihundertfünfzig jüdischen Kindern. Nun hatten wir die nächste Herausforderung unseres erwachsenen Lebens zu bestehen. Die erste Etappe war gewesen, unser Leben zu retten; jetzt aber hatten die Vierzehn- und Fünfzehnjährigen dafür zu sorgen, daß wir unsere Traditionen retteten. Einige Jungen führten uns an. Sie organisierten Gebetstreffen und verteilten Aufgaben. Am Freitagabend versammelten wir uns in einer Ecke und sangen Semiroth, die Sabbatmelodien, die wir zu Hause gelernt hatten.

Es kamen einige jüdische Delegationen zu Besuch. Unsere Versuche, die strengen Regeln jüdischer Traditionen einzuhalten, fanden Würdigung, und wir bekamen Gebetsbücher und sogar eine kleine Thorarolle für den Gottesdienst. Unter den Besuchern waren ein paar wunderbare Leute aus Leeds, die sich entschlossen hatten zu handeln, und sie handelten. Die Juden aus Leeds sind immer sehr traditionsbewußt gewesen, und wo immer Juden in Gefahr gewesen sind, haben sie sich engagiert. Viele von ihnen waren um die Jahrhundertwende selbst aus Mitteleuropa, später aus dem zaristischen Rußland und aus Polen nach England geflohen, und die meisten hatten es hier zu Wohlstand und Ansehen gebracht. Nun setzten sie sich mit ganzem Herzen für uns ein.

In Harrogate gab es ein Genesungsheim für jüdische Kinder, das im Augenblick leerstand. Wie hätte man es besser nutzen können, als uns fünfunddreißig strenggläubige Mädchen aus Dovercourt darin unterzubringen? Dort gab es alles, was wir brauchten, koscheres Essen und eine Heimleiterin. Für mich war dieser Umzug allerdings ein trauriges Ereignis: Kaum hatte ich meinen geliebten Eltern Lebewohl gesagt, mußte ich nun auch meine Brüder verlassen. Sie aber drängten mich in ihrem Verantwortungsbewußtsein zur Abreise. »Cousine Esther wird bei dir sein«, sagten sie, »sie wird sich um dich kümmern. So ist es das beste!« Traurig packte ich gemeinsam mit meiner Hüttenkameradin in Dovercourt meine Sachen zusammen. Auf einmal sprang die Tür auf, und ihr Bruder und einer meiner Brüder kamen hereingestürmt. »Stellt euch vor, wir dürfen auch fahren!« riefen sie. Das Komitee in Leeds hatte sich entschlossen, Geschwister nicht getrennt voneinander zu verschicken. Solange es noch kein Heim für Jungen gab – man suchte noch nach einem geeigneten Gebäude –, sollten die Brüder der Mädchen in privaten Familien in Leeds untergebracht werden. Von Harrogate aus war es nach Leeds nur ein Katzensprung. Ich war überglücklich!

Ich erinnere mich noch genau an das herzensgute Gesicht unserer Heimleiterin, sie wollte bestimmt das Beste für uns. Aber ehrlich gesagt – ich glaube, sie wußte nicht, wie ihr geschah, als wir auf sie losgelassen wurden. Was sollte sie tun mit all diesen lärmenden, vor Gesundheit und Energie strotzenden jungen Mädchen? Wie sollte sie verhindern, daß sie pausenlos nur Unsinn machten? Wir hatten Brettspiele und Kartenspiele, aber vor allem Berge von Wolle und Stricknadeln. Die älteren Mädchen brachten den jüngeren das Stricken bei. Zwei Jahre später erkannte ich die Nützlichkeit meiner neuerworbenen Kenntnisse, denn auch ich konnte nun etwas für die Soldaten unserer englischen Armee tun, indem ich ihnen Handschuhe, Socken und Schals strickte. Wir waren so froh darüber, daß wir am Sabbatmorgen wieder zur Synagoge gehen durften! Und nachmittags luden uns englische Ladys zum High Tea ein.

Die Brüder der Mädchen waren bei Familien in Leeds einquartiert worden. Alle waren irgendwo untergekommen, nur meine Brüder nicht. Keine Familie wollte zwei Jungen aufnehmen. Am Ende versuchte man es bei einem einzigartigen Ehepaar, Jimmy und Fanny Lewis.

»Fanny, wir wissen, daß Sie nur einen Jungen aufnehmen wollten, aber hier sind zwei, die noch keinen Platz haben – wollen Sie es versuchen?«

Und Mrs. Lewis zögerte keine Sekunde: »Natürlich, bringen Sie sie nur her, es wird sich schon irgendwie machen lassen.«

Sie nahm sie in ihr Haus auf und in ihr Herz. Drei Wochen später rief man sie wieder an.

»Fanny, es gibt da einen dritten Bruder, siebzehn Jahre alt. Die Nazis haben ihn in der ›Kristallnacht‹ eingesperrt. Er wurde freigelassen, weil er die Aufnahmepapiere der London University vorweisen konnte. Wir haben die Papiere gefälscht, um ihn aus dem Land zu bekommen. Jetzt ist er in England – wollen Sie ... ?«

Und Mrs. Lewis antwortete: »Wenn Platz für zwei ist, ist auch Platz für drei. Wir schieben eben die Betten zusammen.«

Als wir Deutschland verlassen hatten, wußten wir nicht, ob unser Bruder überhaupt noch am Leben war. Der vierte und älteste Bruder blieb bei meinen Eltern, verbrachte den Krieg in einem Versteck in Holland und überlebte wie durch ein Wunder.

Das Ehepaar Lewis hatte einen Sohn von dreizehn Jahren und eine ebenfalls elfjährige Tochter, die im Internat war. Der Junge verstand sich gut mit meinen Brüdern. Sie erzählten einander natürlich von ihren Schwestern, und gleich am ersten Sonntagnachmittag lud Mr. Lewis alle in sein Auto, und sie kamen nach Harrogate, um mich zu besuchen. Als Mrs. Lewis mich sah, umarmte sie mich herzlich und mütterlich und drückte eine halbe Krone in meine Hand. Verdutzt über die Freundlichkeit, die diese fremde Frau mir angedeihen ließ, betrachtete ich mein erstes englisches Geld, dessen Wert ich noch nicht ermessen konnte. Aber daß diese kleine Lady, kaum einen

Meter fünfzig groß, ein riesengroßes Herz besaß, das verstand ich gleich!

Wie geplant, eröffnete das Komitee von Leeds etwa sechs Wochen später ein Heim für Jungen. Meine drei Brüder zogen dort ein. Etwas später wurde entschieden, daß ich im Haus und im Herzen der Familie Lewis leben durfte.

Eva Gladdish
(High Wycombe, England)
Eva Berger aus Wien

Ich stamme aus Wien. Eines Tages sah ich Leute, die ich vom Sehen kannte, wie sie den Gehsteig schrubbten, bewacht von einem Mann in Uniform mit Armbinde. In der Nacht hörte ich eine Frau schreien, es war ein Angstschrei. Und dann wurden, nicht weit von unserer Wohnung, Bücher auf einen brennenden Scheiterhaufen geworfen. Ich mußte die Schule wechseln. Ich hörte, daß ein mit uns befreundeter Professor, der ein schwaches Herz hatte, gezwungen worden war, in der Turnhalle eines Gymnasiums auf eine Sprossenleiter hinaufzuklettern; als er zusammenbrach, bekam er Wasser ins Gesicht geschüttet. Als Folge dieser unmenschlichen Behandlung starb er. Und dann kam der Tag, an dem ich auf dem Heimweg von jemandem, der »Achtung!« schrie, gepackt und weggerissen wurde; es folgte ein lauter Knall, und die Synagoge, an der ich gerade vorbeilaufen wollte, stürzte ein.

Wir teilten nun alles auf zwischen »uns« und »ihnen«; dazwischen standen die »Mischlinge« mit ihrem Kummer. Zu jener Zeit konnte ich das alles nicht verstehen, und ich wußte nicht, daß sich unser Leben für immer geändert hatte.

Ich glaube, es war November, als mir gesagt wurde, daß ich bald nach Schweden oder nach England fahren würde. Natürlich nahm ich an, daß ich mit meinen Eltern reisen würde. Ich bekam einen neuen Mantel und eine Mütze und sogar einen passenden Muff. Als man mich fotografierte, war ich enttäuscht, daß auf dem Bild nichts von meinem neuen Kleid zu sehen war. Ich wußte nicht, was ein Paßfoto ist. Und auch meine Halbschwester aus der Tschechoslowakei kam zu uns zu Besuch.

Eines Tages waren Freunde da, die gekommen waren, um sich von mir zu verabschieden. Am selben Abend gingen wir mit einem kleinen Koffer zum Bahnhof. Es war kalt, dunkel und regnerisch. Auf dem Bahnsteig drängten sich die Familien – und dann wurden die Kinder in den Zug gesetzt. Also deshalb waren meine Eltern wochenlang so traurig gewesen! Sie blieben am Bahnsteig zurück, und ich mußte mit einer Menge Kinder, die ich nicht kannte, allein wegfahren.

Der Zug fuhr verspätet ab. Dennoch hatte man die Eltern angewiesen zurückzutreten. Also hängten wir uns aus den Fenstern und schrien und winkten ihnen zu. Nach einer endlos langen Weile durften sie doch noch einmal zu uns. Jedes Kind wollte noch ein letztes Mal geküßt und gestreichelt werden, noch einmal die Hand der Mutter berühren. Neben mir war ein kleines Mädchen, das ich hochhob, damit es mit seiner Mutter sprechen konnte. »Paß auf Dorli auf«, sagte jemand.

Als wir bei Aachen die Grenze überquerten, schlugen unsere Herzen höher. In Hoek van Holland stiegen wir aus und gingen an Deck der Fähre, wo uns Plätze zugewiesen wurden. Als das Schiff sich in Bewegung setzte, schliefen wir allmählich ein.

In dem Ferienlager in Harwich wurden wir in Hütten untergebracht, die an schlammigen Wegen lagen. In jeder Hütte standen vier Betten, und es war sehr kalt. Es gab auch eine große Halle, wo furchtbar viele Kinder zusammenkamen, die eine Menge Krach machten. Dort bekam man das Essen. Als es Zeit war, schlafen zu gehen, verirrte ich mich. Die Wege zu den Hütten sahen im Dunkeln alle gleich aus. Ich wünschte mir ein warmes Bett, aber ich schlief auch so ein, da ich todmüde war.

Am zweiten Tag war alles noch genauso wie am ersten, außer daß ein zweiter Ofen aufgetaucht war und daß alles ein wenig geordneter zuging. Leute kamen und liefen überall herum, und da und dort wurde ein Kind weggerufen. Eine Frau mit Silberhaar und ein Mann blieben bei unserer Gruppe stehen, kurz darauf wurden ein anderes Mädchen und ich herausgerufen. Mrs. Duncan stellte mir Fragen auf englisch, der Mann übersetzte, und sie schrieb meine Antworten auf. Dann wurde ich zu meiner Gruppe zurückgeschickt – was hatte das zu bedeuten? Nach einiger Zeit mußte ich meine Sachen zusammenpacken, und dann fuhr ich mit einer kleinen Gruppe anderer Kinder und mit Mrs. Duncan weg.

Das nächste, an das ich mich erinnere, ist, daß wir wieder in einem Zug saßen, aufgeregt und im Warmen, und uns gegenseitig zeigten, was wir besaßen. Dann hielt der Zug plötzlich, und wir mußten aussteigen – schnell, schnell, die Koffer wieder zu, die Mäntel angezogen und raus auf den Bahnsteig. In irgendeinem Raum saßen wir alle um Tische herum, der Dolmetscher brachte Tee und Essen. Aber o Schreck! Wo war mein Muff, der meine drei wertvollsten Besitztümer enthielt – Mutters Silberarmband, das aus den Tagen der russischen Kriegsgefangenschaft meines Vaters stammte, Großmutters goldene Taschenuhr und das kleine Etui mit Schreibzeug, auf das ich jahrelang gespart hatte. Ich mußte es im Zug liegengelassen haben! Mrs. Duncan machte sich auf die Suche. Aber als sie mit traurigem Gesicht zurückkam, wußte ich schon, daß sie keinen Erfolg gehabt hatte. Ich war untröstlich. Es war, als ob ich die letzten greifbaren Überreste meiner Eltern und meines Zuhauses verloren hätte.

Dann bestiegen wir den nächsten Zug. Lange bevor wir in Bath ankamen, wurde es dunkel. Man brachte uns in einen Saal, wo Leute auf uns warteten, und wir wurden auf die verschiedenen Familien verteilt.

Ich kam zu Mrs. White. Sobald wir draußen auf der Straße waren, fing sie an zu reden. Ich lächelte, fühlte mich dumm und fehl am Platz, und ich hatte auch ein bißchen Angst. Wir fuhren mit einer überfüllten Straßenbahn und saßen auf kleinen Bänken einander gegenüber. Mrs. White plauderte mit den Leuten ringsum, man sah zu mir hin. Wie sehnlich wünschte ich mir, sie zu verstehen, ihnen erklären zu können, warum ich so unmöglich aussah! Aber am allersehnlichsten wünschte ich mir, wieder bei meinen Eltern zu sein, in einer warmen Stube, unter Leuten, die meine Sprache sprachen. Noch lange sollte ich von diesen Wünschen besessen sein.

Nun folgte meine erste Bekanntschaft mit kalten englischen Schlafzimmern, Waschschüsseln und Krügen voll Eiswasser. Und mit englischem Senf, der mir den Mund verbrannte. Meine Gastgeber und ihre zwei erwachsenen Kinder fanden das alles recht spaßig – aber mir ging es da ganz anders. Welche Freude, als ich am nächsten Tag die Kinder der alten Gruppe treffen durfte, mit denen ich in meiner Sprache reden konnte.

Zu meiner größten Überraschung ging es am Weihnachtsabend gar nicht feierlich zu, aber am nächsten Morgen bekam ich einen Hund aus Stoff geschenkt. Ich hatte mir schon immer einen Hund gewünscht, und so hatte ich nun wenigstens den aus Stoff. Es gab Partys, bei denen man aß und Spiele machte. Leider verstand ich weder bei dem Gerenne um Stühle herum noch bei der Jagd auf den Fingerhut die Regeln, aber ich versuchte, es den anderen nachzumachen, und lachte immer dann, wenn alle lachten.

Dann kam Mrs. Duncan wieder. Es stellte sich heraus, daß die Whites mich nicht adoptieren wollten, weil ich zu alt für sie war. Andererseits war ich zu jung, um in einem Haushalt zu arbeiten. Den Stoffhund darfst du leider nicht mitnehmen, den kriegt das nächste Kind, nimm statt dessen das Nadelkissenpüppchen hier. Also mußte ich wieder meine Sachen zusammenpacken und mich auf die Reise machen, ohne meinen Stoffhund als Trost.

Wir kamen in eines jener großen Häuser in Bath, in denen es nur ein oder zwei Zimmer in jedem Stockwerk gibt, und zwei – wie mir schien – uralte Damen nahmen mich in Empfang. Mein Zimmer befand sich ganz oben, und es war eiskalt. Die beiden Ladys wohnten hauptsächlich im ersten Stock, ihre taubstumme Schwester lebte im

Parterre. Stundenlang schloß ich mich in meinem Zimmer ein, um meinen Eltern zu schreiben, und ich konnte einfach nicht begreifen, warum ich niemals Antwort von ihnen bekam. Ich strickte einen Schal, der zu meiner Schuluniform gehörte, machte Puzzles, lernte die Taubstummensprache und rannte morgens die Treppen hinauf und hinab, um warm zu werden. Ich bekam dunkelblaue Kleider und schwarze Schuhe, und dann gingen wir alle zu einer Pantomimenvorstellung. Komisches Kind – es will gar nicht lachen und lärmen wie die anderen! Anfang Januar machte ich eine lange Reise im Auto und kam in ein Kloster.

Man teilte mir mit, daß meine geliebte Mutter in Wien gestorben war. Einige Monate später war mein Vater nach Jugoslawien geflohen.

Insgesamt verbrachte ich drei Jahre in dem Klosterinternat. Am meisten mochte ich den Musikunterricht und die Samstagabende, wenn es Musik vom Grammophon gab, zu der wir tanzten. Nur in den Ferien konnte ich nicht wie die anderen nach Hause fahren; doch manchmal besuchte ich Klassenkameradinnen. Vielleicht war die Eintönigkeit des Schullebens gut für mich. Ich hatte keine Gelegenheit, mich vom Heimweh überwältigen zu lassen, und allmählich wurde eine richtige junge englische Dame aus mir.

An meinem sechzehnten Geburtstag brachte mich die Direktorin zur Polizeistation, und ich bekam den Fremdenpaß. Der Polizeibeamte sagte, daß ich nun nicht einmal mehr ein paar Tage Ferien im Haus einer Freundin zwanzig Kilometer vom Internat entfernt verbringen dürfe. Ich hätte ja eine Spionin sein können!

Ya'akov Fiedler
(Haifa, Israel)
Aus Oberhausen

Wir wußten nicht, daß wir als Angehörige des letzten Kindertransports, der sich aus dem brennenden Europa rettete, in die Geschichte eingehen sollten. Als wir am Abend des 14. Mai 1940 an Deck des betagten holländischen Frachters SS Bodegraven den Hafen von Ymuiden bei Amsterdam verließen, mußten wir uns auf den Boden werfen – über uns kreisten im Tiefflug zwei deutsche Bomber, die das Schiff mit Maschinengewehrfeuer belegten. Es wurde allerdings niemand verletzt. Die Kugeln drangen nur in die Brücke und in die Luftschächte ein. Nach ein paar Minuten wagte ich es, mich umzuschauen. Ich konnte die Piloten sehen und das Mündungsfeuer ihrer Waffen. Die Matrosen hatten Gewehre und zielten auf die Flugzeuge, ohne sie je treffen zu können. Dann befahl der Kapitän die Einstellung des Feuers. Auf der Brücke hatte er über Funk gehört, daß Holland soeben kapituliert hatte; er handelte gemäß dem Reglement. Die Deutschen feuerten weiter, bis endlich auch sie die Sache aufgaben und abdrehten. Am nächsten Morgen gab der Kapitän bekannt, daß Radio Berlin gemeldet habe, der »bedeutende« holländische Dampfer Bodegraven sei gesunken. Wir wußten es besser, und wir waren froh.

Wir – das sind die achtzig Kinder aus Deutschland und Österreich, die im Burgerweeshuijs gelebt hatten, dem fast fünfhundert Jahre alten Waisenhaus im Herzen von Amsterdam. Ein Flügel des Gebäudes war den jüdischen Flüchtlingskindern zur Verfügung gestellt worden. Gerade einen Monat, bevor die Deutschen in Holland einmarschierten, waren wir in eine benachbarte Grundschule umgezogen. Wir hatten schon soviel Holländisch gelernt, daß man beschlossen hatte, uns in Zukunft am normalen Schulunterricht teilnehmen zu lassen.

Als am 10. Mai die deutsche Invasion begann, durften wir nicht mehr ins Freie. Königin Wilhelmina wurde von der grassierenden Angst vor der Wühlarbeit der Fünften Kolonne* gepackt und verbot allen Ausländern, sich auf holländischen Straßen sehen zu lassen. Von Zeit zu Zeit flogen deutsche Flugzeuge, verfolgt von Holländern – man konnte die orangeroten Markierungen erkennen –, über unsere Köpfe hinweg. Drei Tage dauerte diese merkwürdige Ausgangssperre, dann fingen alle an, über eine Flucht nach England zu reden.

Wir dachten, daß es unmöglich sei, Großbritannien mit dem Schiff zu erreichen. Die Grenze war unpassierbar gemacht worden: Minen, U-Boote, Patrouillenboote und Flak von der Küste – wie sollte ein Schiff da durchkommen? Und doch hieß es am nächsten Morgen, wir sollten uns bereithalten für den Abmarsch, der jeden Moment erfolgen konnte, und wir fügten uns dieser Anordnung bereitwillig. Gerade noch hatten wir es geschafft, unsere wertvollsten kleinen Besitztümer zusammenzupacken, da fuhren auch schon die Busse vor den altehrwürdigen Portalen vor. Es gab Straßensperren, aber wir überwanden sie und erreichten glücklich den Hafen Ymuiden. Das alles verdankten wir Gertrud Wijsmuller-Meijer, jener mutigen Holländerin, die schon so viele Kinder aus Deutschland gerettet hatte und die sich auch jetzt durch den Ausbruch des Krieges von ihrem Vorhaben nicht hatte abbringen lassen. Sie erinnerte sich an die Kinder im Burgerweeshuijs, sie schaffte es, uns die nötigen Papiere zu besorgen, sie organisierte die Busse und die Reise.

Als wir Amsterdam verließen, hörte man Maschinengewehrfeuer, und der Himmel war voller Rauch. Auf der einen Seite der Stadt die deutschen Fallschirmjäger – auf der anderen Seite wir, die wir ihnen eben noch entwischen konnten.

Im Hafen ging alles sehr schnell. Zusammen mit einigen Dutzend holländischen Juden, die Frau Wijsmuller-Meijer mitgebracht hatte, gingen wir an Bord des alten Frachters, und da die Reise nur ein paar Stunden dauern sollte, wurde uns gesagt, wir sollten an Deck bleiben. Nach dem Angriff der deutschen Flugzeuge ließ der Kapitän den Laderaum öffnen, und wir mußten alle unter Deck gehen. Wir hatten Angst vor den steilen Sprossen der Leitern, und die Matrosen, Indonesier aus Holländisch-Ostindien, hoben uns kurzerhand hoch und rutschten mit uns hinunter. Im Laderaum legten wir uns auf den Boden; und bald schliefen wir ein.

Am nächsten Morgen und noch weitere vier Tage lang blieben wir auf See. Wir wußten nicht, daß die Engländer sich geweigert hatten, uns in Harwich an Land gehen zu lassen, und daß die Bodegraven weiterreisen mußte gen Norden. Am ersten Tag teilten die Matrosen ihre kargen Reismahlzeiten mit uns, danach gab es nur noch steinharten Schiffszwieback, der lange eingespeichelt werden mußte, bevor der Magen ihn annahm.

Endlich gelangten wir nach Liverpool und wurden wie Helden empfangen. Zum erstenmal sahen die Leute hier richtige Flüchtlinge, Menschen aus Fleisch und Blut, die sich vor dem Schreckensregiment der Nazis in Sicherheit gebracht hatten. Die Polizei mußte uns einen Weg durch die jubelnde Menge bahnen, und wir fühlten uns sehr wichtig. Man brachte uns in einem Matrosenheim am Hafen unter. Wenn wir uns die Beine vertreten wollten, kam die Polizei und sperrte ein Stück Fußweg ab – immer noch kamen dauernd Leute, die uns anstarrten und uns die Hand schütteln wollten.

Nach drei Tagen kamen wir Kinder in den nahgelegenen Ort Wigan, und zwar in ein Pfadfinderheim. Und bald darauf standen die Frauen von Wigan Schlange, um uns zum Abendessen, zum Tee, zum Ponyreiten und zu allen möglichen anderen schönen und gutgemeinten Unternehmungen abzuholen. »Selten haben so viele so viel für so wenige getan« – so hat es Winston Churchill später treffend ausgedrückt.

Nach einigen Wochen und nachdem man uns schon ein wenig Englisch beigebracht hatte, mußten wir wieder umziehen, diesmal in ein Haus in Salford, in Manchester. Zwischen Sandsäcken, Sirenengeheul und dem Gehämmer der Flakgeschütze gingen wir zur Schule. Es war so, als würden wir ins Wasser geworfen, um schwimmen zu lernen. Wir verbrachten mehr Zeit in den behelfsmäßigen Luftschutzräumen als in unseren Klassenzimmern. Zusammen mit den Liverpooler Jungen und Mädchen, unseren Klassenkameraden, waren wir entschlossen, aufrecht, mit den Stiefeln an den Füßen zu sterben, wenn wir schon sterben mußten, und obwohl wir den Text kaum verstanden, sangen wir laut ihre Lieder mit: ›Roll out the Barrel‹, ›Run Hitler‹ und ›The Siegfried Line‹. Machte es etwas aus, daß wir nicht alles verstanden? Wir wußten, was gemeint war. Und wer verstand schon alles in jener atemberaubenden Zeit?

Meine ältere Schwester, die wie viele andere schon vor dem Krieg hatte ausreisen können, weil man ihr aufgrund eines Dienstverhältnisses in England ein Visum ausgestellt hatte, fand mich und meinen jüngeren Bruder mit Hilfe des Roten Kreuzes. Sie war auf der Isle of Man als Enemy Alien interniert. Wir verbrachten ein sehr glückliches Jahr mit ihr im Breakwater-Hotel in Port Erin. Alle »feindlichen Ausländerinnen« wohnten in den Hotels von Port Erin und Port St. Mary. Nach diesem Jahr mußte meine Schwester vor einem Tribunal erscheinen, und mit derselben Selbstverständlichkeit, mit der sie 1940, als jedermann panische Angst vor Spionen hatte, zur Feindin deklariert worden war, nahm man ihr nun dieses Etikett wieder ab, und sie durfte auf das Festland, um die Deutschen bekämpfen zu helfen, während wir wieder zurück in die Schule mußten.

Ich besuchte die Jüdische Freie Schule, die nach Ely evakuiert worden war, und dort machte ich so gute Fortschritte, daß ich für 1942 ein Stipendium für eine Public School bekam. So kam ich also eines Tages am Bahnhof von Frome in Somerset an, ein verlorener kleiner Junge mit einem armseligen kleinen Koffer in der Hand. Der Quartiermacher der Coopers Company School war ein pensionierter Major, der in Vertretung jüngerer Lehrer alle möglichen Dienste in der Schule versah und dabei unter anderem Gymnastik unterrichtete. Er holte mich ab und brachte mich zu Mr. Maggs, einem Chemiker, der mit seiner Frau, seinem Sohn, der etwas jünger war als ich, und einem anderen Flüchtlingskind, Karl Oberweger aus Österreich, in einem Haus lebte.

In nur einem Jahr bei den Maggs lernte ich, wie sich ein richtiger englischer Gentleman benimmt. Dann kam auch mein Bruder nach Frome. Der Direktor meiner Schule hatte ihn, obwohl er kein Stipendium hatte, aufgenommen, weil er von mir offenbar sehr angetan war. Wir beide wurden nun bei einem Arbeiterehepaar untergebracht. Vic und Dorothy Crook lebten in einem alten Cottage mit Gaslicht im Wohnzimmer, Kerzenlicht im Schlafzimmer und einer Zinkwanne in der Küche, in der samstags gebadet wurde. Sie verachteten die Maggs, weil sie »hochnäsige Aristokraten« waren, aber dann wollten sie alles über sie wissen, wie sie bitte und danke sagten und das Besteck in die Hand nahmen und all die anderen kleinen Details, die in England so wichtig sind. Ohne mir dessen bewußt zu sein, trug ich dazu bei, den Abstand zwischen beiden Gesellschaftsklassen etwas kleiner werden zu lassen.

Dann entdeckten uns die Rabbis. Wir wurden in eine koschere Pension in Stamford Hill gebracht und besuchten von jetzt an die Schule der Brewers Company in Islington. Aber als die V1-Bomber über unseren Köpfen zu dröhnen begannen, wurden wir noch einmal evakuiert. Die Jewish Secondary School in Shefford nahm uns auf, und dort blieben wir bis zum Ende des Krieges.

Paul Cohn
(London)
Aus Hamburg

Ich wuchs in Hamburg auf. Mein Vater war Buchhalter, ich war das einzige Kind. Von der väterlichen wie von der mütterlichen Seite her gehörten wir zu den alteingesessenen Hamburger Familien. Meine Eltern fühlten sich vollkommen sicher, deshalb dachten sie nicht an Emigration, bis es zu spät war.

Nach der »Kristallnacht« wurde mein Vater in das Konzentrationslager Sachsenhausen deportiert. Sofort setzte meine Mutter alle Hebel in Bewegung, um ihn freizubekommen. Da er sich als Soldat im Ersten Weltkrieg große Verdienste erworben hatte, gab man ihren Anträgen statt, und er kehrte nach einigen Monaten zu uns zurück. Jetzt bemühten wir uns um Papiere für die Auswanderung, aber der einzige Ort, wo noch Flüchtlinge aufgenommen wurden, war Shanghai, und dafür gab es schon eine lange Warteliste.

Ende des Jahres 1939 erklärte sich Holland bereit, alleinreisende Kinder aufzunehmen; meine Mutter setzte mich also auf die Liste. Etwas später öffnete sich auch England den Kindern, und meine Eltern ließen mich sofort für England eintragen, da sie England für sicherer hielten als Holland. In England machten sich Flüchtlingskomitees auf die Suche nach Familien, die für die Kinder bürgten. Die Müller-Hartmanns, Verwandte von uns, die nach London emigriert waren, empfahlen dem Dorking Refugee Comittee eine Bauernfamilie, die zwei Jungen bei sich aufnehmen wollte, um sie auf ihrer Hühnerfarm auszubilden. Mit einer solchen Ausbildung konnte man in Übersee leicht Arbeit finden. Mein Cousin Peter, der Anfang 1939 nach England gekommen war, lebte schon bei diesen Bauern, ich sollte zu ihm stoßen.

Am 21. Mai 1939 sollte der Transport nach England abgehen. Meine Eltern gaben sich den Anschein, als ob sie die Sache auf die leichte Schulter nähmen. Sie sagten, es sei nur eine Frage der Zeit, bis auch sie nach England ausreisen dürften, wir würden uns also bald wiedersehen – in Wahrheit müssen sie gewußt haben, daß die Wahrscheinlichkeit eines Wiedersehens äußerst gering war. 1941 wurden sie in das Konzentrationslager Riga deportiert. Sie sind nicht zurückgekommen.

Mit dem Zug ging es nach Hoek van Holland, dann mit dem Schiff nach Harwich. Von dort wurden wir wieder in einen Zug verfrachtet, der uns nach London brachte. Im Bahnhof Liverpool Street warteten Verwandte und Freunde auf uns. Ich traf Frau Müller-Hartmann, an die ich mich von Hamburg her noch gut erinnern konnte. Wir fuhren in der Untergrundbahn bis Victoria Station, dort setzte sie mich in den Zug nach Dorking. Eine Dame vom Flüchtlingskomitee brachte mich dann im Auto zu meinem Bestimmungsort, der Farm in Newdigate. Jetzt durfte ich zum erstenmal zeigen, wie gut mein Englisch war. Nach sechs Schuljahren Unterricht konnte ich mich tatsächlich schon ziemlich fließend unterhalten.

Zu der Farm bei Newdigate gehörten elf Morgen Grund und etwa fünftausend Hühner. Mr. Panning und seine Frau hatten die Arbeit zwar bisher allein bewältigt, doch sie brauchten dringend Hilfe. Mein Cousin Peter war schon vier Wochen da, als ich ankam, aber die drei verstanden sich nicht allzu gut. Vielleicht hatte Mr. Panning zuviel erwartet, oder Peter, der ein Jahr älter war als ich, hatte sich von der Arbeit zu sehr eingeengt gefühlt – jedenfalls wurde Peter auf eine andere Farm geschickt, sobald ich mich eingearbeitet hatte.

Ich war ganz und gar ein Kind der Großstadt, und zuerst fand ich abstoßend, was ich zu tun hatte, besonders das Töten und Rupfen der Hühner. Aber wie es der Bauer machte, sah es ganz leicht aus, und so versuchte ich es eben, und allmählich ging es. Ich hatte außerdem noch viele andere Aufgaben, vor allem mußte ich die Hühner füttern und die Ställe ausmisten. Das alles lernte ich schnell, und die ungewohnte Arbeit wurde bald zur mehr oder weniger langweiligen Routine. Ich arbeitete über siebzig Stunden in der Woche und hatte einen halben Tag pro Woche und alle vierzehn Tage den Sonntagnachmittag frei. Dafür bekam ich freie Kost und Logis plus zwei Shilling und sechs Pence Taschengeld in der Woche; später wurde das Taschengeld erhöht.

An meinem halben freien Tag fuhr ich mit dem Bus nach Dorking und ging ins Kino. Für sechs Pence gab es sechs Stunden lang Vorführung; jeden Film sah ich zweimal, was auch meinem Englisch sehr zugute kam.

Der Herzog von Newcastle hatte große Besitzungen bei Dorking. Auch er hatte sich bereit erklärt, Flüchtlinge bei sich aufzunehmen. Peter arbeitete auf einer Farm des Herzogs. Im September verdüsterte sich der Himmel, die Gewitterwolken des Krieges zogen auf, und einige Londoner suchten nach Unterkünften auf dem Land. Auf unserer Farm gab es eine Baracke, die eigentlich nur aus einem einzigen Raum bestand und die wir zum Sortieren der Eier benutzt hatten. Diese Baracke wurde jetzt an ein Londoner Ehepaar vermietet.

Am 3. September, als Chamberlain seine berühmte Rede im Radio hielt*, gruben Mr. Panning und ich im Hof hinter dem Bauernhaus einen Luftschutzraum in die Erde, den wir mit Holzbohlen befestigten und mit Wellblech und Lehm bedeckten. Glücklicherweise mußten wir in diesem Raum nie Unterschlupf suchen; statt dessen benutzten wir ihn als Wasserreservoir.

Der Krieg brachte noch auf andere Weise Abwechslung in das eintönige Leben auf der Farm. Wir erwarben zwei Kühe und ein paar Schafe. Ich lernte bald, die Kühe zu melken, und das gab mir das Gefühl, ein echter Bauernbursche zu sein.

Die Schafe waren leicht zu halten. Man mußte sie von Zeit zu Zeit scheren, aber sonst waren sie meist sich selbst überlassen, nur im Winter verbrachten sie die Nächte im Stall.

Bei Ausbruch des Krieges war ich fünfzehn, und als ich im Januar 1940 sechzehn wurde, bekam ich den Status eines Friendly Alien, aber im Juni, nach dem Fall von Frankreich, wurden viele Flüchtlinge interniert, und ich befürchtete, daß auch ich in ein Internierungslager kommen würde. Als ich in Dorking bei der Polizei turnusmäßig meine Papiere erneuern ließ, fragte ich den Beamten, wann ich mit der Internierung zu rechnen hätte. Er lehnte sich über den Schalter, schaute mich finster an und knurrte: »Du willst doch nicht interniert werden, oder?«

Ich hütete mich, das Thema jemals wieder aufzubringen, und wurde tatsächlich nie interniert.

BEA GREEN
(London)
Beate Siegel aus München

Eine Minute vor Mitternacht, München, Hauptbahnhof. Der Zug nach Frankfurt verkündet zischend die nahe Abfahrt, der Schaffner hebt seine Kelle. Es ist der 27. Juni 1939.

Ich bin vierzehn Jahre alt und trage Kostüm, Regenmantel, einen Hut, der auf dem Hinterkopf sitzt, und Handschuhe. Ich fühle mich sehr erwachsen und bin aufgeregt. Mit zwei Mädchen in meinem Abteil habe ich schon Freundschaft geschlossen, eines ist älter als ich, das andere ist sehr hübsch, ein Waisenkind. Geschrei, Abschiedsgrüße, Winken aus dem Fenster – dann setzt sich der Zug langsam in Bewegung. Ich sehe, daß sich meine Mutter hinter meinem Vater versteckt, damit ich sie nicht weinen sehe. Und auf einmal wird es mir ganz mulmig im Magen. Ob ich nicht weinen kann oder nicht weinen will, weiß ich nicht mehr, jedenfalls: Meine Augen bleiben trocken. Mein Onkel knipst, und schon sind wir aus dem Bahnhof. Auf Wiedersehen, München. Auf Wiedersehen, Eltern. Auf Wiedersehen! Hinter mir lasse ich die Geborgenheit unseres jüdischen Zuhauses, aber auch die bösen Ereignisse, die dem Jahr 1933 folgten, verschwinden allmählich: Mein Vater wurde von einem Nazi zusammengeschlagen und mit einem Schild um den Hals zur Schau gestellt; und am Eingang unseres Häuschens am Walchensee prangte die Aufschrift: »Juden sind hier unerwünscht.«

Vor Sonnenaufgang erreichen wir Frankfurt, wo eine Menge anderer Kinder zu uns stoßen, und dann brechen wir auf in Richtung Hoek van Holland. An der Grenze müssen wir unsere Pässe vorzeigen, in denen der Buchstabe J vorn rot eingestempelt ist. Außerdem habe ich einen zusätzlichen Namen bekommen, ich heiße Maria Beate Sarah Siegel. Ich trage diesen Namen nicht ungern. Es gefällt mir, daß auch die anderen Mädchen alle Sarah heißen. Die Grenzpolizisten schauen in unsere Pässe. Ich fühle mich nicht ganz wohl in meiner Haut, denn meine Mutter hat mir heimlich noch zehn Mark in einem Umschlag zwischen die Butterbrote geschoben, die ich als Reiseproviant dabeihabe. Aber alles geht gut. Die Polizisten interessieren sich nicht für meine Butterbrote. Die Lokomotive stößt dicke Rauchwolken aus – und wir sind in Holland.

In der Nacht gehen wir an Bord der Fähre. Wir schlafen in Stockbetten und erreichen Harwich im Morgengrauen. Ein kleines Mädchen schreit ununterbrochen nach seiner Mutter. Ich tröste es. Ich sage: »Bald wirst du deine Mutter wiedersehen.«

Dann werden wir in eine große, dämmrige Halle geführt und müssen uns auf hölzerne Bänke setzen. Meine Freundinnen aus München sind nicht mehr bei mir. Ich habe kein Heimweh, ich bin nicht traurig. Ich fühle mich wie in einem grauen Vakuum. In alphabetischer Reihenfolge werden wir aufgerufen. Ich muß lang warten, weil S ganz weit hinten ist. Dann höre ich meinen Namen. Eine Dame in einem veilchenfarbenen Kostüm nimmt mich in Empfang. Sie hat eine sehr sanfte Stimme und fragt mich, glaube ich, wie es mir geht, aber ich verstehe sie nicht richtig. Wir holen mein Gepäck und werden in einem großen Auto mit Chauffeur zu einem Haus in Portland Place gefahren. Die Wohnung der Dame ist riesengroß, und ich habe ein eigenes Zimmer mit einem schönen Bett. Miss Williams – so heißt die Dame – schüttelt die Decke auf, und ich lege mich schlafen.

Miss Williams ist die Tochter meines Vormunds, Mrs. Williams, aus Brasted Hall bei Sevenoaks in Kent. Am nächsten Tag werden wir wieder in dem großen Auto gefahren. Mrs. Williams begrüßt mich und küßt mich auf die Wange. Sie ist klein und energisch. Dann lerne ich

Margot kennen, und wir sprechen Deutsch miteinander, was uns beiden guttut. Ich werde auch Miss Currie-Smith vorgestellt, der Gesellschafterin von Mrs. Williams. Sie hat einige Schwierigkeiten, uns gesellschaftlich einzuordnen, das ärgert sie, während wir uns gar nichts daraus machen. Margot und ich schlafen zusammen in einem Zimmer, und der Billardraum soll unser Wohnzimmer werden. Das Haus ist groß, und es gibt jede Menge Dienstboten. Es gefällt mir hier.

Eigentlich soll ich mich ein, zwei Tage ausruhen, aber ich will in die Schule gehen. Seit der »Kristallnacht« habe ich an keinem Unterricht mehr teilgenommen. Ich trage mein Dirndl, und alle starren mich mit großen Augen an. Die Direktorin ist etwas konsterniert wegen meines Namens, Beate, dessen Aussprache sie lange üben muß.

Margot ist schon zwei Wochen lang bei Mrs. Williams. Einige Tage nach meiner Ankunft frage ich sie, wie lange sie gebraucht habe, um das Heimweh zu überwinden. Sie sagt, bis jetzt habe sie es nicht überwunden. Da werde ich ganz mutlos.

Ist es möglich, daß das alles schon fünfzig Jahre zurückliegt? Heute ist England meine Heimat. Auch wenn ich im Ausland bin, fühle ich mich als Engländerin, Anglaise, Inglesa. Ich bin auch in München gewesen; und auch dort habe ich mich nicht als Deutsche gefühlt. Doch ..., es gibt noch diese Spur von Heimweh, aber ich weiß nicht, wonach.

ALFRED BATZDORFF
(Santa Rosa, Kalifornien)
Aus Breslau

Auf dem Ärmelkanal haben die Fährschiffe im Winter ganz schön zu kämpfen, die See ist rauh, und es müssen viele schwere Brecher überwunden werden, bis man vom Kontinent aus die Britischen Inseln erreicht. Zusammen mit einem Dutzend jüdischer Kinder befand ich mich in der Nacht vom 1. zum 2. Dezember 1938 auf einem dieser Schiffe. Ich atmete auf, als wir uns dem sicheren Hafen näherten, und war doch bei dem Gedanken an unsere Angehörigen zu Hause tief beunruhigt.

Als wir in Harwich ankamen, standen schon Busse bereit. Nach kurzer Fahrt gelangten wir zu einem Camp, dem Dovercourt Bay Holiday Lido. Dort verbrachte ich einige Wochen. Wir waren in kleinen Hütten untergebracht und bekamen unser Essen in einem großen Saal, einer Art Casino. Wir versuchten uns zu beschäftigen, so gut es ging, hielten unsere Hütten in Ordnung und kümmerten uns um die kleineren Kinder. Es wurden auch Kulturveranstaltungen organisiert, an denen wir nachmittags teilnahmen. Es gab Englischunterricht, es wurden Filme vorgeführt, und einmal kam Sir Samuel Hoare*, der eine Rede hielt.

Hin und wieder fuhren Autos vor, Leute stiegen aus und gingen ins Büro. Dort nahmen sie sich die immer dicker werdenden Akten mit den Lebensgeschichten der jungen Campbewohner vor und wählten eine Anzahl Kinder aus, die sie dann einzeln befragten. Wir wurden genau angesehen und mußten Rede und Antwort stehen, und je nachdem, wie die Bewertung ausfiel, schied man aus, oder man wurde angenommen. Das hieß, daß eine Familie sich bereit erklärte, ein bis zwei Kinder bei sich aufzunehmen. Heute weiß man, wie großherzig diese guten Menschen waren. Denn bedeutet es nicht eine enorme Verantwortung, muß man nicht riesige finanzielle und andere Opfer bringen, wenn man ein fremdes, ausländisches Kind aufnimmt, ihm ein Heim bietet, bereit ist, es zu lieben und zu versorgen wie ein eigenes?

Es gab etliche Leute, die genug Geld hatten und alles taten, um den Flüchtlingskindern im Lido-Camp zu helfen. In einigen Fällen organisierten sie Unterkünfte unter kompetenter Leitung. Eine ganze Gruppe von Kindern, die etwa alle gleich alt waren und aus ähnlichen Verhältnissen stammten, brachten sie dann dort unter und versorgten sie. Eins dieser Wohnheime entstand auf Initiative des eilig gebildeten Flüchtlingskomitees aus Swanage in Dorset, und ich gehörte zu den Glücklichen, die ausgewählt wurden und dank der Großzügigkeit des Komitees dort einziehen durften.

Kurz nach dem Neujahrstag begann unser neues Leben im Heim. Kingscastle war ein wunderschöner Ort: ein großes Einfamilienhaus, das zeitweilig leergestanden hatte, hoch oben auf den Klippen, mit einem herrlichen Blick auf Swanage Bay, den Ärmelkanal und die Isle of Wight. Mr. und Mrs. Ellington, ein amerikanisches Ehepaar, betreuten uns, und bald kam Mr. Phil Carter dazu, ein Lehrer und Pfadfinder. Sie besorgten Bücher und Spiele für uns, lehrten uns Englisch, sangen und spielten mit uns. Aber es gelang ihnen trotz allem nicht, uns ausreichend zu beschäftigen. Nichts kann Menschen mehr entmutigen als Untätigkeit – und sie breitete sich auch bei uns aus. Wieder mußten wir zu den Leuten von Swanage gehen und um Hilfe bitten. Wieder fanden sie einen Weg. Wir durften arbeiten.

Einige von uns arbeiteten in Autowerkstätten, andere in Läden, ein Junge war Bürobote in einer Anwaltskanzlei, ein anderer Gehilfe in einem Friseurgeschäft. Wir hatten jetzt ein erfüllteres Leben, da wir arbeiteten, wir trafen mehr Leute, schlossen Freundschaften und verfügten über ein kleines Taschengeld, mit dem wir ein paar Dinge kaufen oder ins Kino gehen konnten.

Wenige Monate später sollte unser Haus geschlossen werden. Es war schon ein neues in Bournemouth ausgewählt worden. Aber bevor wir umziehen konnten, gab es noch einmal eine Zeit der Heimatlosigkeit. Kingscastle war geschlossen worden, und Bournemouth war noch nicht fertiggestellt.

Diesmal war es unser Freund Roger Browne, der einer Gruppe von Kindern Asyl gewährte. Er war ein reicher Junggeselle und wohnte in einem wunderbaren Haus hoch oben auf den Felsen, von wo aus man den Kanal überblickte. Dieses Herrenhaus hatte viele Zimmer, und sein Besitzer war ausgesprochen gütig und großherzig. Während der Sommermonate lud er immer einige Stadtkinder aus ärmlichen Verhältnissen zu sich ein, um sie an seinem luxuriösen Leben teilhaben zu lassen. Er fütterte sie ordentlich durch und kaufte ihnen schöne Kleider. Jetzt kamen auch wir in den Genuß seiner Wohltaten. Aber bald endete der Ferienaufenthalt bei ihm. Das Wohnheim war fertig, und wir zogen nach Bournemouth.

Zuerst schien es nicht viel anders zu sein als in Swanage, aber da die Stadt größer war, hatten wir mehr Auswahl an Arbeit. Jetzt konnten wir nach Jobs suchen, bei denen wir ein Handwerk lernen und eine finanzielle Zukunft für uns aufbauen konnten. Ich fing im Durley-Dean-Hotel als Tellerwäscher an und entschloß mich, bis auf weiteres im Hotelgewerbe zu bleiben. Abends konnte ich den Unterricht am Städtischen College von Bournemouth besuchen und meine Ausbildung vervollständigen. Ich zeigte Begabung für die technischen Fächer, aber dann sorgten die Ereignisse dieser turbulenten Jahre dafür, daß meine schulische Laufbahn erst einmal vorzeitig unterbrochen wurde.

Es gab zwei Gründe, im Hotelgewerbe zu arbeiten:

Zum einen war es für mich als Fremden die einzige Möglichkeit, ohne Arbeitsgenehmigung angestellt zu werden, zum anderen gab es hier gute Aufstiegschancen. Ich verdiente mein eigenes Geld, und meine Tätigkeit machte mir Spaß, doch trotzdem war mir klar, daß mein wahrer Ehrgeiz nicht befriedigt wurde. Ich hatte mich schon immer für Physik interessiert – besonders für Mechanik – und war recht geschickt im Umgang mit Werkzeugen. Als ich schließlich in einer Anzeige im ›Daily Telegraph‹ las, daß ein Erfinder und Feinmechaniker einen Lehrling suchte, schrieb ich einen Brief, in dem ich von meiner Herkunft erzählte und davon, daß ich – im Falle einer Zusage – eine Arbeitsgenehmigung benötigte.

Kurze Zeit später erhielt ich eine Antwort von Mr. Davis aus Cardiff, der mich zu einem Vorstellungsgespräch einlud. Ich mußte ihm schreiben, daß ich kein Geld hatte, um nach Wales zu kommen, und es mir auch nicht leisten konnte, einige Tage auf meinen Lohn zu verzichten. Als Antwort erhielt ich eine Busfahrkarte und die Versicherung, daß ein Hotelzimmer auf mich wartete, das bereits bezahlt war.

Mr. Davis bot mir eine Stelle in seiner Werkstatt an und half mir, eine Arbeitsgenehmigung zu beantragen. Doch ich mußte einige Monate auf die Genehmigung warten und hatte inzwischen die Gelegenheit bekommen, in die Vereinigten Staaten auszuwandern.

So fuhr ich schließlich im Mai 1940 einer ungewissen Zukunft entgegen. Als ich vom Boot zurück auf die englische Küste blickte, war ich tief bewegt und von Dankbarkeit und Respekt erfüllt gegenüber diesem großartigen Land und seiner selbstlosen und hilfsbereiten Bevölkerung, gegenüber einer Gruppe von Freunden, die ich als die Bewahrer der Demokratie sah.

Inge Sadan
(Jerusalem)
Ingeborg Engelhard aus München

Für ein optimistisches neunjähriges Mädchen hatte das Leben sogar in jener kummervollen Zeit nach der »Kristallnacht« – traumatisches Ereignis für jeden Juden, der betroffen war – noch seine Reize. Ich hatte von einer Freundin gehört, daß sie in der folgenden Woche mit ihrer Schwester nach England abreisen sollte, und war nach Hause gerannt, um es meinen Eltern zu erzählen. Sie hatten sich dann von den Eltern der Mädchen alles im einzelnen berichten lassen. Auch ich wollte nach England – mein Bruder würde ein Lord werden und ich eine Lady, wie alle Leute in England!

Die genauen Einzelheiten weiß ich nicht mehr, aber innerhalb einer Woche, bis zum 4. Januar, waren meine große Schwester – sie war fast sechzehn – und mein Bruder, elfeinhalb, plötzlich fort. Sie hatten einen Koffer in der Hand gehabt und hatten immer wieder gewunken, während sie mit anderen Kindern zum Bahnhof geführt wurden. Wir hatten sie nicht begleiten dürfen, damit die Sache auf dem Bahnhof nicht allzuviel Aufmerksamkeit erregte. Also waren wir umgekehrt und wieder heimgegangen in unsere Wohnung, wo es nun kein Lachen mehr gab, kein Geschrei, keinen Streit, kein Toben. Zum erstenmal in meinem Leben hatte ich meine Mutter ganz für mich. Das gab mir, der Jüngsten, einerseits ein gutes, beruhigendes Gefühl, aber während der nächsten sechs Monate befanden wir uns andererseits alle in einem seltsamen Schwebezustand, der mich verunsicherte.

Jede Woche konnte nun der Bescheid eintreffen, wann ich fahren sollte; und viele Freunde und Freundinnen machten sich auf den Weg nach Südamerika, Holland, England und anderswo. Für mich mit meinen dürftigen geographischen Kenntnissen waren das unvorstellbare, nebelhafte Orte. Meine Eltern zogen in das Jüdische Krankenhaus, das man für sicher hielt, und beide arbeiteten dort, während ich von einer halbjüdischen Familie betreut wurde. Einen Monat blieb ich bei ihr und verbrachte die Nachmittage nach der Schule im Krankenhaus, wo ich mich mit den Patienten anfreundete und dem Personal auf der Nase herumtanzte.

Und dann kam ich plötzlich an die Reihe und sollte fort, um die englische Aristokratie kennenzulernen. Ich besuchte alle Stationen des Krankenhauses und sagte meinen neuen Freunden auf Wiedersehen. Sie schenkten mir einen riesigen Berg Schokolade und andere Dinge, die ich aber alle bei meiner Mutter zurücklassen mußte, da ich nur einen Koffer und eine Mark in deutschem Geld mitnehmen durfte. Ich nahm, ohne allzu traurig zu sein, Abschied von meinen Eltern, weil ich annahm, sie in ein paar Wochen wiederzusehen. Mein Vater kaufte mir am Bahnhof eine Spielzeugmaus zum Aufziehen, die ich viele Jahre lang überallhin mitnahm, und nachdem sie mich gesegnet und einigen großen Mädchen gesagt hatten, sie sollten auf mich aufpassen, setzte sich der Zug in Bewegung, und meine Eltern blieben zurück. Es war Mitternacht des 6. Juli 1939.

Am zweiten Morgen kamen wir in England an; wiederum gab es neue Eindrücke, grüne Felder und diese unglaublichen Doppeldeckerbusse. Am Bahnhof Liverpool Street war ein Warteraum abgesperrt worden, dort nahmen die Leute ihre Schutzbefohlenen in Empfang, und nach ein paar Stunden waren nur noch wenige von uns übrig, die weitergeschickt werden sollten aufs Land. Mein Bestimmungsort war Coventry, wo sich auch meine Schwester und mein Bruder aufhielten.

Meine Schwester hatte nach den ersten Wochen im Lager Dovercourt eine Anstellung als Hausmädchen gefunden, mein Bruder war von einem Milchmann als Spielkamerad für seinen Sohn ausgewählt worden. Offenbar hatte der Dekan der Kathedrale von Coventry für mich wie für eine große Zahl anderer Kinder eine Summe von je fünfzig Pfund bereitgestellt, und ein aus Juden und Nichtjuden zusammengesetztes Komitee in Coventry sorgte dafür, daß wir alle in Pflegefamilien unterkamen.

Die »Familie« meiner Schwester, die keine eigenen Kinder hatte, nahm auch mich auf, und es begann eine Zeit schwieriger Anpassung. Ziemlich drastisch gab man mir zu verstehen, daß von den Einheimischen niemand vorhatte, Deutsch zu lernen, so daß ich von daher alle Anstrengungen unternehmen mußte, mir Englisch anzueignen. In der Schule wurde ich allgemein bestaunt, besonders weil ich solche komischen ausländischen Sachen trug: ein Dirndl mit Schürze und allem Drum und Dran. Ein paar von den Kindern waren sehr nett, und daß ich nun ein »Flüchtling« war, machte mich interessant, wie ich glaubte. Als zwei Monate später der Krieg ausbrach, nahm meine Popularität jedoch rapide ab, da man nun auf einmal wahrzunehmen schien, daß ich aus Deutschland kam – ein paar Kinder hatten nicht gelernt, zwischen Verfolgern und Verfolgten zu unterscheiden.

Da wir in einer englischen nichtjüdischen Familie lebten und es mir verboten war, mit meiner Schwester Deutsch zu sprechen, lernte ich sehr bald Englisch und gewöhnte mich an all die sonderbaren Sitten und Gebräuche. An jüdischen Feiertagen war es uns in der ersten Zeit erlaubt, die Synagoge zu besuchen, und wir verbrachten die erste Nacht von Chanukka zusammen mit den anderen Mitgliedern der jüdischen Gemeinde; später aber sollten wir mit unseren Pflegeeltern Weihnachten feiern. Am ersten Pessach wurden wir von einer jüdischen Familie eingeladen, den Seder mit ihnen zu feiern. Es war die reine Seligkeit, fast wie zu Hause, und wir wurden von den Erinnerungen überwältigt.

Mein Bruder feierte Bar Mizwa in der Synagoge von Coventry. Unsere Eltern, die in der Zwischenzeit nach Jugoslawien hatten fliehen können, gingen an diesem Tag in die Synagoge von Zagreb, um seiner zu gedenken – Jahre später erzählten sie uns davon.

Eine sehr nette englische Dame, die neben uns wohnte, war äußerst besorgt darum, daß auch jedes Kind täglich den halben Liter Milch trank, den wir in der Schule ausgeschenkt bekamen. Die Milch kostete einen halben Penny, den uns die Pflegeeltern jedoch verweigerten. Als die Dame das erfuhr, bestand sie darauf, daß ich jeden Morgen zu ihr kam und einen Penny und einen Apfel in Empfang nahm. Als ich ihr sagte, daß die Milch nur einen halben Penny kostete, antwortete sie mir, ich solle mir für den Rest Eis oder etwas anderes Schönes kaufen. Heilige erscheinen einem manchmal in ungewöhnlichen Gestalten, sie nehmen sogar die Gestalt ganz einfacher englischer Hausfrauen an!

Von Zeit zu Zeit erhielten wir über das Rote Kreuz Botschaften von unseren Eltern, und dann, als sie neutralen Boden erreicht hatten, konnten sie auch selbst Briefe schreiben. Am Weihnachtstag des Jahres 1943 erreichten sie England über Portugal; und nachdem man sie einen Monat lang gründlich überprüft hatte, erlaubte man ihnen endlich, uns wiederzusehen. Das war eine sehr sonderbare Erfahrung – man mußte seine Eltern ganz neu kennenlernen. Nach nur fünf Jahren waren sie zu Fremden geworden! Sie sprachen kein Englisch. Mein Vater trug einen Mantel, der fast bis zum Boden ging, und eine Handtasche, und meine Mutter zählte das Wechselgeld nach, das man ihr in den Läden gab! Außerdem wollten sie, daß wir die jüdischen Gebote und Riten befolgten, die ich längst vergessen hatte ... Es war noch einmal eine schwierige Zeit der Anpassung; aber wir schafften es und wurden wieder eine richtige liebende und liebevolle Familie.

Mein Bruder wurde kein Lord, und ich wurde keine Lady; doch wir haben gelernt, das Unglück im Leben ebenso hinzunehmen wie das Glück und jenen zu danken, die uns ihre Hilfe nicht versagten.

Steffi Segerman
(Kibbuz Kfar Blum, Israel)
Steffi Bamberger aus Leipzig

Es ist nicht einfach, die Uhr um fünfzig Jahre zurückzudrehen, aber ich verspüre schon seit langem den Wunsch, einmal meine Geschichte zu erzählen, und jetzt ist die Gelegenheit dazu gekommen.

Ich weiß nicht mehr genau, wann wir aus unserem großen Haus in eine Wohnung umziehen mußten; aus dieser Wohnung ist mein Vater in der »Kristallnacht« abgeholt worden. An diese Nacht erinnere ich mich noch ganz deutlich. Um vier Uhr früh hörten wir lautes und heftiges Hämmern an der Tür. Als wir öffneten – mein Zimmer war direkt neben dem Eingang, und ich war die erste, die aus dem Bett sprang –, drangen vier unrasierte, furchterregende Gestapo-Männer bei uns ein. Sie bedrohten meine Mutter mit einer Pistole, und sie mußte ihnen zeigen, wo sie ihren Schmuck aufbewahrte und wo das Geld lag. Meinen Vater, der mit einem steifen Bein aus dem Ersten Weltkrieg zurückgekommen war, holten sie aus dem Bett, und er mußte sich in aller Eile unter ihren Augen anziehen. Auf dem Nachttisch lagen Bücher zum Englischlernen. Sie spuckten auf sie, zerrissen sie und plünderten die gesamte Wohnung.

Meine Mutter steckte ein paar belegte Brote in die Tasche meines Vaters, dabei flüsterte sie ihm zu, er solle sich, wenn sie auf der Treppe waren, fallenlassen. Sie hoffte, daß sie ihn nicht mitnehmen würden, wenn er verletzt war. Aber so etwas konnte mein Vater nicht tun. Nein, er wollte das Haus verlassen wie ein Mann, aufrecht und ohne zu wanken, und so sahen wir ihn die große, schwarzglänzende Limousine besteigen, die unten wartete. Zum Abschied riefen sie uns zu: »Schaut euch mal euer Geschäft an und eure Synagoge!«

Ohne einen Pfennig Geld in der Tasche verließen wir die Wohnung. Wir fanden ein Taxi – der Fahrer kannte uns und war uns wohlgesonnen, und so fuhr er uns bereitwillig und kostenlos zu all unseren angegebenen Zielen. Erst wollten wir unser Geschäft sehen, dann sollte er uns zum Haus eines Freundes bringen, dem Chefarzt des Jüdischen Krankenhauses in Leipzig.

Als wir vor unserem Geschäft standen, trauten wir unseren Augen nicht. Es waren nur noch ein paar Mauern übrig, im Innern war alles verbrannt – Hunderte von Stoffballen, Mäntel, Hemden, Anzüge. Ich war damals ein kleines Mädchen von neun Jahren. Ich weiß noch, daß ich dachte, man hätte die ganzen Sachen, die hier so sinnlos in Flammen aufgegangen waren, doch den Armen geben können. Es fehlte mir jeder Begriff davon, um was es eigentlich ging, denn weder in der Schule noch sonst irgendwo war ich je mit Antisemitismus in Berührung gekommen. Dann gingen wir in das ausgebrannte Gebäude hinein und suchten nach der elektrischen Eisenbahn, die mein Bruder zu seiner Bar Mizwa bekommen hatte; als wir umzogen, hatten wir sie hier deponiert. Wie war es nur zu erklären, daß das angrenzende Gebäude völlig unversehrt geblieben war, daß nicht einmal ein Fenster zu Bruch gegangen war?

Wir fuhren auch zur Synagoge – sie bot dasselbe Bild der Verwüstung. Von dort zu unseren Freunden. Wir dachten, daß wir sie warnen könnten, wir wollten berichten, was geschehen war, und wir hofften, daß sie vielleicht noch rechtzeitig fliehen konnten. Aber es war zu spät, und alle zusammen entschlossen wir uns, zum Jüdischen Krankenhaus zu fahren und dort zu helfen.

Im Krankenhaus herrschte Chaos. Das gesamte Personal der Nachtschicht schien verschwunden zu sein, und alle Patienten, die irgendwie auf ihren zwei Beinen stehen konnten, waren abgeholt worden. Sofort packten wir alle mit an. Man gab uns weiße Kittel, und ich arbeitete wie meine Mutter sehr hart, manchmal zwei Schichten hintereinander. Wenn ich heute daran denke ... So eine Arbeit wird von einer Krankenschwester im zweiten Ausbildungsjahr verlangt. Zum Beispiel mußte ich nach einer Operation helfen, den Operationssaal zu säubern; der Anblick von Blut machte mir nichts aus. Ich half bei der Sterilisierung der Instrumente, beim Verbinden von Wunden. Ich gab Essen aus und mußte darauf achten, daß jeder Patient nur das bekam, was er auch essen durfte. Alle nannten mich Schwester Steffi.

Jeden Morgen um vier Uhr früh kam die Gestapo und nahm die Patienten mit, die wieder gehen konnten. Tag für Tag dasselbe Spiel, und Tag für Tag dachten wir an meinen Vater, wo er wohl war und wie es ihm ging. Eines Tages gelang es ihm, einen Zettel hinauszuschmuggeln, auf dem stand, daß er sich in einem Gebäude der Polizei befand und daß es ihm gutging. Über alle möglichen Beziehungen schafften wir es, ihn als Patienten in unser Krankenhaus zu bringen, so daß wir endlich wieder eine Familie waren. Danach ging uns die Arbeit viel leichter von der Hand.

Ich weiß nicht mehr, wie lange wir von daheim weggewesen waren, aber als wir endlich wieder in unsere Wohnung heimkehrten, sagten mir meine Eltern, daß sie für mich eine wunderbare Familie in England gefunden hätten, daß ich dort hinfahren sollte und daß sie in drei Monaten nachkämen. Es war schwierig für mich, das zu verstehen, aber ich akzeptierte ihre Entscheidung, und als die Zeit gekommen war, packte ich alle meine Lieblingsspielsachen ein, die ich mitnehmen durfte. Meine Mutter begleitete mich bis Utrecht, dann trennten wir uns.

Meine Eltern standen in brieflichem Kontakt mit der Familie in Liverpool, die mich aufnehmen wollte, und hatten auch ein Foto von mir dorthin geschickt. Auch mein Bruder, der zu dieser Zeit in der Schweiz studierte, hatte über seine kleine Schwester berichtet. Einer seiner Briefe, in denen er schreibt, welche Kinderkrankheiten ich gehabt hatte und daß ich Tiere liebte, existiert noch heute.

Als ich in Liverpool ankam, wurde ich von der ganzen Familie willkommen geheißen. Binnen kürzester Zeit fühlte ich mich bei ihr zu Hause. Mit ihrer Tochter wuchs ich auf wie mit einer Schwester. Ich war die ältere (es gab allerdings noch einen Bruder, der bei der englischen Luftwaffe diente), und ich durfte abends länger aufbleiben; aber viel lieber war es mir, mit meiner neuen Schwester zusammen schlafen zu gehen. Bis heute sind wir sehr vertraut miteinander, und ich stehe in enger Verbindung mit allen Cousins und Cousinen und Onkeln und Tanten.

So lange wie möglich hielt ich mit meinen Eltern Kontakt. Die drei Monate vergingen; aber natürlich kamen sie nicht nach. Sie wurden nach Theresienstadt verschleppt. Im Jahr 1942 kam eine Mitteilung vom Roten Kreuz, daß mein Vater »gestorben« sei. Meine Mutter wurde 1944 ermordet.

Edith Riemer
(Cherry Valley, USA)
Edith Lefor aus Ludwigshafen

Anfang Juni 1939, sechs Monate, nachdem ich meine Heimatstadt Ludwigshafen am Rhein verlassen hatte, zog ich um in ein Kinderheim in London. Aus der Familie, die sich zunächst um mich kümmern sollte, war ich geflohen. Der Vater dieser Familie war bei einem Autounfall schwer verletzt worden und neigte seither dazu, sich ohne Vorwarnung bizarr und erschreckend zu benehmen. Seine Frau und das Hausmädchen hatten mich instruiert, wie ich mich gegen die Übergriffe dieses Mannes wehren konnte – ich sollte mich in meinem Zimmer einschließen –, aber sein letzter Anfall war einfach zuviel für mich gewesen. In den ersten Tagen wohnte ich bei Freunden, dann sorgte das Flüchtlingskomitee dafür, daß ich im Heim unterkam.

Es war ein großes Haus in einer stillen Wohngegend, nicht weit von der U-Bahn-Station Earls Court. Die Zahl seiner Bewohner schwankte ständig, da immer wieder Kinder weggingen, die Pflegefamilien gefunden hatten, und immer wieder Kinder ankamen, die, zumindest zeitweilig, auf dem trockenen saßen. Wir waren nie mehr als vielleicht zwanzig oder fünfundzwanzig Kinder unterschiedlichsten Alters. Niemals werde ich jenen Säugling vergessen, der ununterbrochen nach seiner Mutter schrie und sich von nichts und niemandem trösten ließ. Er schlief immer nur für kurze Zeit, verweigerte die Nahrungsaufnahme, klammerte sich an seine Flasche. Abwechselnd nahmen wir ihn auf den Arm und streichelten ihn, versuchten, ihn abzulenken, ihm ein Lächeln zu entlocken – ohne Erfolg. Neben uns hatte eine vierköpfige Flüchtlingsfamilie eine Wohnung gemietet. Normalerweise hatten wir nichts mit ihnen zu tun, aber das ewige

Schreien des Babys drang durch alle Wände, und eines Tages kam der Vater herüber und nahm sich des Säuglings an. Es gelang ihm tatsächlich, das Kind zu beruhigen – es schrie nicht mehr, sondern schluchzte nur noch ein bißchen. Wir alle waren froh, als man schließlich für dieses Kind Pflegeeltern fand.

Geburtstage waren bei uns daheim immer etwas ganz Besonderes gewesen. Man bekam nicht nur Geschenke, und es wurde nicht nur gefeiert, es war mehr als das: Es war ein Tag, an dem man zusammen mit Eltern und Freunden ganz besondere Sachen unternahm; ein Tag, der die Verbindung zwischen allen tiefer und fester machte. Wie würde ich nun meinen kommenden Geburtstag feiern, an dem es nichts von alldem geben würde?

Wie üblich wurde das Frühstück ausgeteilt, dann spielten wir Ball im Park, aber nach dem Mittagessen kamen einige Kinder zu mir und wünschten mir alles Gute zum Geburtstag. Und sie schenkten mir das Geld für eine Kinokarte – was ein unglaublicher Luxus für uns war. Ich war überrascht, gerührt und tief bewegt; das spärliche Taschengeld (ich glaube, es war ein Shilling), das kaum für die Briefmarken nach Hause reichte, hatten sie alle gespart, um mir diese Freude zu machen! Von all den Geburtstagsgeschenken, die ich je bekam, war dies bei weitem das schönste.

Über dem Horizont ballten sich die dunklen Wolken des Krieges zusammen. Am 25. April 1939 kamen wir nach Tunbridge Wells; auf dem Land war es sicherer für uns als in der Stadt.

Von April 1941 an begann ich zunächst in einem vom jüdischen Flüchtlingskomitee geleiteten Säuglingsheim als Betreuerin zu arbeiten; das war der Beginn meines Erwachsenenlebens, meiner zunehmenden Selbständigkeit.

Mordechai Ron
(Kibbuz Neot Mordechai, Israel)
Aus Breslau

Es scheint erst gestern gewesen zu sein, und doch sind fünfzig Jahre vergangen seit jenem Tag. An einem tristen, kalten Februarmorgen des Jahres 1939 sammelten wir uns am Anhalter Bahnhof in Berlin, von wo wir die Fahrt antreten sollten. Um die hundert Kinder und Jugendliche aus ganz Deutschland kamen zusammen, zwischen zwölf und sechzehn Jahre alt. Wir alle ließen unsere Eltern und Angehörigen zurück, viele sahen ihre Familien an jenem Tag zum letztenmal. Deutsche Polizei umringte uns; noch heute klingt mir das teutonische Gebell in den Ohren, mit dem man uns, die jüdische Brut, in die reservierten Waggons trieb. Den Eltern war es verboten, mit uns auf den Bahnsteig zu kommen. Die guten Deutschen mußten schließlich davor bewahrt werden, Zeugen widerwärtiger, tränenreicher Abschiedsszenen zu werden!

Es gab einen tragikomischen Zwischenfall, als der Zug sich endlich in Bewegung setzte. Die Abteiltüren waren verschlossen, wir drängten uns in den Gängen. Als der Schaffner kam und die Türen entriegelte, fuhr auf dem Nebengleis ein Vorortzug auf gleicher Höhe mit uns, und wir erspähten unsere Eltern, die uns zuwinkten. Wir stürzten in die Abteile, um Plätze zu besetzen, und kehrten zu den Fenstern im Gang zurück. Dabei hängte in der Eile ein Mädchen ihren Rucksack aus Versehen an den Griff der Notbremse, und quietschend kam der Zug wieder zum Stehen. Dieser jüdische Sabotageakt gegen die Reichsbahn führte zu einem großen Trara, und wir sahen uns schon gefesselt zurückgebracht und vor Gericht gestellt. Den Leiter unseres Transports kostete es viel Schweiß, Überzeugungskraft und Mut, bis er das aufgebrachte Bahnpersonal wieder beruhigt hatte, und es mußte sofort eine Geldstrafe entrichtet werden, aber dann durften wir doch fahren.

Die Überschreitung der Grenze war ein großartiges Erlebnis; an der ersten holländischen Station wurden wir von den gütigen Damen der örtlichen Jüdischen Gemeinde begrüßt und mit belegten Broten und Süßigkeiten überschüttet.

An einem nebligen, dunklen und kalten Morgen betraten wir englischen Boden. Wir fühlten uns wie betäubt, waren müde und hungrig. Die jüngeren Kinder, die erst jetzt zu bemerken schienen, was geschehen war, weinten und riefen nach ihrer Mama. Wir kamen teils zu Pflegeeltern, teils in Heime. Mich schickte man in ein Feriencamp in Dovercourt, wo ich bald darauf einer dort gegründeten Youth-Aliyah-Gruppe* beitrat. Sie sollte ihre Heimstatt in Schottland finden, in einem Gebäude, das dem verstorbenen Lord Balfour gehört hatte.

Auf dem Weg dorthin passierte noch etwas, das ich im Gedächtnis behalten habe. Wir waren etwa zwanzig Jungen, und wir sollten den Nachtzug nehmen, aber aus irgendeinem Grund kamen wir zu früh in London an. Unser Gruppenleiter wollte uns ein paar Sehenswürdigkeiten zeigen, und unter anderem sollten wir im damals berühmten Lyons Corner House einen Imbiß einnehmen. Er reservierte einen Tisch für uns, und als wir hereinkamen, spielte das Orchester – das offenbar genau wußte, wer wir waren – lauter Lieder, die wir aus Deutschland kannten, sogar einen Wiener Walzer; davon waren wir natürlich mächtig beeindruckt.

Dann stand einer der Herren, die an einem Nebentisch saßen, auf. Er kam zu uns, stellte sich als ein Mitglied der Labour Party vor und überreichte unserem Gruppenleiter einige Geldscheine – mit den besten Wünschen von ihm und seinen Kollegen, damit wir uns in London ein wenig umschauen konnten. Nach einiger Zeit erfuhren wir, daß es sich um Clement Attlee gehandelt hatte, den Vorsitzenden seiner Partei und späteren Premierminister.

England war mehr für mich als der zufällige Ort meiner Rettung. Ich entwickelte eine Liebe für dieses Land und seine Bewohner sowie ihre Lebensart, nicht nur, weil dieses Land – wie mir bald bewußt wurde – die Wiege der Demokratie ist. Freundlichkeit, Güte, Verständnis und Mitgefühl erfuhr ich hier, und bis heute bewundere ich die Haltung des Volkes während der harten Tage des totalen Krieges. In England gründete ich meine Familie. Die Treue zu den Idealen meiner Jugend verlangte es jedoch, daß ich nach Israel ging und beim Aufbau eines Kibbuz half. Doch bis zum Ende meiner Tage werde ich jene Jahre, die ich in Großbritannien verleben durfte, immer im Gedächtnis behalten.

Ja, alles ist noch so frisch, als wäre ich gestern erst fortgegangen. Und dabei ist es fünfzig Jahre her.

Shmuel Lowensohn
(Hertfordshire, England)
Aus Wien

Ich lebte mit meinen Eltern und meiner Schwester in einer Wohnung in Wien. Nach dem Anschluß im März 1938 wurde das Leben für uns fast unerträglich. Meinem Vater nahmen sie das Geschäft weg, und er mußte niedrige Arbeiten annehmen, um uns über Wasser zu halten. Jeden Tag verschlechterte sich unsere Lage, fast kein Bereich des öffentlichen Lebens stand uns mehr offen. Ein Nazibeamter fand Gefallen an unserer Wohnung und requirierte sie kurzerhand. Wir standen auf der Straße. Glücklicherweise fanden wir bei Freunden ein Unterkommen.

In der Öffentlichkeit belästigte und beschimpfte man die Juden. Meine Schwester und ich wurden abgeholt, und man behielt uns mehrere Tage in Haft. Meine Schwester wurde gezwungen, den Bürgersteig zu schrubben, und mich warf man mit dreizehn Jahren vom Gymnasium.

Dann hörten wir davon, daß man in Großbritannien plane, jüdische Kinder aus Deutschland und den besetzten Ländern herauszuholen. Ich war noch sehr jung, aber ich arbeitete regelmäßig als Freiwilliger bei der Israelitischen Kultusgemeinde, und mein Vater bestand darauf, daß ich dort meinen Namen auf die Liste der Kinder setzte, die für den Transport nach England vorgesehen waren. Er war sich dessen bewußt, daß wir uns, falls ich wirklich nach England käme, höchstwahrscheinlich nie wiedersehen würden.

Der Tag kam, an dem mich meine Eltern zum Bahnhof brachten. Die Gefühle, die wir hatten, als der Zug abfuhr, brauche ich nicht zu beschreiben, und ich könnte es auch nicht. Heute bewundere ich den Heldenmut meiner Eltern. Sie durften nicht einmal mitkommen bis zu unserem Zug, um uns Lebewohl zu sagen, sondern wurden von der Polizei hinter einer Absperrung festgehalten. Ich sah sie nicht wieder – sie starben in den Gaskammern der Nazis. Keines der Tausenden von Kindern, die Leben und Freiheit wiedergewannen, kann jemals die selbstlose Haltung seiner Eltern vergessen. Meine Schwester hatte das große Glück, im Juni 1939 nach Palästina zu gelangen. Nach dem Krieg trafen wir uns wieder. Bis zu ihrem frühen Tod vor zwei Jahren lebte sie in Israel.

Was mich betrifft, so besaß ich am Anfang meines neuen Lebens während der Fahrt mit Eisenbahn und Schiff nach Großbritannien nichts als ein Paket mit Essen, einen kleinen Koffer mit meinen Sachen und eine Reihe von Schnüren um den Hals. Zwei Tage nach unserer Abfahrt landeten wir an der Küste von Essex, in Dovercourt. Jeden Tag mußten wir uns in Reih und Glied aufstellen und wurden untersucht, und künftige Pflegeeltern kamen und trafen ihre Wahl. Dieselbe Szene wiederholte sich an diversen anderen Orten. Ich und andere Jungen, die schon vierzehn waren, bekamen keine Pflegeeltern, wir wurden in eine spezielle Schule bei Ipswich geschickt, Barham House.

Über das Rote Kreuz korrespondierte ich mit meinen Eltern, aber im Lauf der Monate wurde es immer schwieriger, und es gab lange Zeiträume, in denen ich gar nichts aus Wien hörte. Die letzte Nachricht erhielt ich im Jahr 1942. Was mit meinen geliebten Eltern im einzelnen geschah, weiß ich nicht – wohin man sie brachte und was sie erdulden mußten, bis sie starben. Das allein bereitet mir großen Kummer. Nach dem Krieg bekam ich heraus, daß sie im Konzentrationslager Izbica gewesen waren, wo sie auch umkamen.

Einige der Kinder, die nicht in Pflegefamilien untergebracht wurden, kamen in christlich geleitete Heime, ich ebenso. Man schickte mich in ein Heim in Birmingham, das von Christadelphianern geführt und finanziert wurde. Mit sechzehn wurde ich als Enemy Alien interniert. Nach einer Irrfahrt durch das ganze Land kamen wir endlich auf die Insel Man. Hier begann ich, Unterrichtsklassen für Iwrit* und allgemeine jüdische Studien zu organisieren. Nach einer vergleichsweise kurzen Zeit ließ man mich frei, und nun war ich ein Friendly Alien of Enemy Origin! Ich kehrte in das Heim in Birmingham zurück, und es gelang mir, mich durch Arbeit in einer Munitionsfabrik, später auf dem Fischmarkt und in einer Papierfabrik, notdürftig am Leben zu halten. Am Ende lernte ich bei einer bekannten und angesehenen Firma den Beruf des Bilanzbuchhalters. Außerdem studierte ich als Externer an der Universität von Birmingham und schloß mich immer enger der zionistischen Bewegung an.

Harry Heber
(London)
Heinz Heber aus Wien

Meine Schwester Ruth und ich kamen am 18. Dezember 1938 mit dem Kindertransport in Harwich an, einen Monat vor meinem achten Geburtstag.

Bevor wir auf die Reise ins Unbekannte geschickt wurden, hatten uns unsere Eltern eingeschärft, daß wir als Bruder und Schwester immer aufeinander aufpassen müßten und es niemandem erlauben dürften, uns zu trennen. Als nun jemand kam, der Ruth mitnehmen wollte in ein neues Zuhause, weigerte sie sich, ohne ihren kleinen Bruder Heinzi mitzukommen.

Wir fuhren in einem Auto. Am Steuer saß ein freundlich aussehender Gentleman, Mr. Ogden, der bald meine Schwester bei sich und seiner jungen Familie aufnahm. Mich aber lieferte man einige Kilometer weiter bei einem alten Farmer und seiner Frau ab, die in einem noch älteren Cottage wohnten und nicht einmal elektrisches Licht hatten.

Um es milde auszudrücken: Die Erfahrung, die dieser kleine Junge machen mußte, war traumatisch. Ich hatte niemals etwas anderes kennengelernt als das geordnete Leben unserer Familie daheim, und nun, kaum daß man mich von meinen Eltern getrennt hatte, wurde mir auch noch die Schwester weggenommen. Meine neue Umgebung war fremdartig, freudlos und öde. Nichts als schneebedeckte Landschaft, so weit das Auge blickte. Meine Gasteltern sprachen kein Deutsch, und ich konnte mich ihnen nicht verständlich machen und ihnen niemals etwas von all dem, was mich bedrückte, mitteilen. Ich fühlte mich einsam und niedergeschlagen. Das einzige, was ich tun konnte, war das, was alle Kinder tun, wenn sie traurig sind – ich weinte und weinte ohne Unterbrechung.

Weihnachten kam, Neujahr – und ich hörte nicht auf zu weinen, bis meine neuen Eltern endlich dem örtlichen Flüchtlingskomitee von meinem elenden Zustand Mitteilung machten. Daraufhin holte man mich ab, und ich durfte meine Schwester besuchen. Man versicherte mir, daß alles gut werden würde, und ich kam in ein kleines Internat in einem Dorf namens Goudhurst in Kent.

Ich erinnere mich noch genau daran, wie ich zum erstenmal den Gemeinschaftsraum betrat, wo sich etwa zwanzig Kinder aufhielten, die spielten oder lasen. Alle hielten inne in dem, was sie gerade taten, und schauten zu dem verweinten kleinen Fremdling hin, der plötzlich in ihre Mitte geschoben wurde. Sie hörten auf zu reden und schauten mich an, und dann redeten sie wieder, lauter als zuvor, aber natürlich verstand ich kein Wort von dem, was sie sagten. Sie zeigten mit dem Finger auf mich. Wie komisch dieser fremde Junge aussah! Er war ein Junge, aber er war angezogen wie ein Mädchen! Ich trug nämlich lange Strümpfe, die unter den kurzen Hosen von einem Strumpfgürtel gehalten wurden. In Österreich waren lange Strümpfe im Winter auch für kleine Jungen gang und gäbe, aber in England gab man sich spartanisch, Jungen sollten nicht durch lange Strümpfe verweichlicht werden. Innerhalb der nächsten Tage machte man einen anständigen englischen Schulbuben aus mir, meine Knie blieben unbedeckt, bis ich zur Bar Mizwa etwa fünf Jahre später mein erstes Paar lange Hosen erhielt.

Ich gewöhnte mich schnell an meine neue Umgebung und an die Gesellschaft der anderen Kinder – so schnell, daß ich neun Monate später, als ich endlich meine Eltern wiedertraf, die es drei Tage vor Kriegsausbruch gerade noch geschafft hatten, England zu erreichen, nur Englisch sprach und meine Muttersprache verlernt hatte.

Margaret Furst
(Dallas, USA)
Margarete Romberg aus Astheim

Ich wurde in dem kleinen Dorf Astheim zwischen Darmstadt und Mainz geboren, am 30. Mai 1929.

Meine Eltern hatten im Juli 1927 geheiratet. Zuvor hatte mein Vater als Angestellter einer Bank gearbeitet, aber nach der Heirat zog er in das Haus meines Großvaters und arbeitete in dessen Geschäft, einer Getreidehandlung, die die ganze Gegend belieferte. Mein Bruder kam am 17. Juli 1930 zur Welt.

Drei Monate, bevor ich geboren wurde, starb mein Großvater, und meine Eltern und meine Großmutter mußten nun ohne ihn das Geschäft weiterführen. Soweit ich mich erinnern kann, waren wir eine glückliche Familie. Wir lebten nicht in Saus und Braus, aber es ging uns gut.

Im März 1934 starb mein Vater im Alter von vierundvierzig Jahren an einem Herzinfarkt. Da war Hitler schon an der Macht. Es war eine schwere Zeit für Mama; sie mußte mit dem Tod ihres Mannes fertigwerden und durfte dabei das Geschäft nicht vernachlässigen. Überall gab es schon antisemitische Parolen, und man hörte von Ausschreitungen gegen Juden. Außer uns gab es nur noch eine einzige jüdische Familie in Astheim, und die Zukunft sah für beide Familien düster aus.

1935 wurde ich eingeschult, aber Anfang 1936 entschied sich Mama, das Geschäft zu verkaufen und unser Dorf zu verlassen. Wir zogen nach Eschwege an der Werra, nicht weit von Kassel, wo meine Tante Paula mit ihrer Familie lebte. Mein Bruder und ich kamen in die Jüdische Schule, wo wir vom Kantor der Synagoge und von einem nichtgeistlichen jüdischen Lehrer unterrichtet wurden. Der Eigentümer unserer Wohnung war Jude, aber er konnte die Wohnung nicht behalten, und so mußten wir innerhalb von drei Jahren zweimal umziehen.

Um uns herum lebten nur Nichtjuden. Wir konnten kaum noch unbehelligt durch die Straßen laufen. Und immer öfter war Schmalhans bei uns Küchenmeister. Nach der »Kristallnacht«, als die Synagogen brannten, waren wir in einer ernsten Notlage. Mein Bruder und ich hatten Visa für Schweden, im Mai 1939 sollten wir abreisen. Aber einen Tag davor erhielt unsere Mutter ihr Affidavit aus England – entfernte Verwandte hatten ihr einen Platz als Angestellte in ihrem Haushalt zugesichert, und wir erhielten gleichzeitig die Erlaubnis, Deutschland mit dem Kindertransport nach England zu verlassen. Am 21. Mai 1939 bestiegen wir den Zug. Wir waren Kinder, und so freuten wir uns auf die neue Umgebung, weil wir das Ganze als ein Abenteuer betrachteten. Mama fühlte sich wahrscheinlich ganz anders; schließlich war ihr bewußt, daß ihre Mutter und alle übrigen Verwandten einem ungewissen Schicksal entgegensahen, solange sie in Deutschland blieben. Aber unseretwegen mußte sie tapfer sein.

An die Zugfahrt erinnere ich mich nicht, nur daran, daß wir endlich die Grenze nach Holland überquerten und frei waren!

Vier Wochen lang lebte ich in einem Waisenhaus in einem Vorort von London, und die ganze Zeit hatte ich furchtbares Heimweh. Englisch konnte ich nicht, und mein Unglück wurde auch durch die Tatsache nicht erträglicher, daß alle nett zu mir waren. Zum erstenmal in meinem Leben war ich von meinen Angehörigen getrennt.

Bert, mein Bruder, kam zu einer nichtjüdischen Familie in Coventry, den Shepherds, wo es ihm recht gut ging. Seine »Mom« war Busfahrerin, sein »Pop« arbeitete bei der Post. Sie hatten zwei Kinder, die schon älter waren, und sie bemühten sich sehr um ihn. Mit ihrem sauer verdienten Geld bezahlten sie sogar Klavierstunden für ihn.

Ich kam dann zu den Simons, ebenfalls in Coventry. Mrs. Simons versuchte alles, um mir das Gefühl des Fremdseins zu nehmen. Ich ging zur Schule und hatte sogar das Glück, eine jüdische Lehrerin zu bekommen, Mrs. Jacobs, die sehr einfühlsam war und mir in vielen Dingen zur Seite stand. Die Direktorin der Schule war Miss Smith; ich weiß noch, welche Schwierigkeiten ich mit ihrem Namen hatte – meistens sagte ich zum größten Ergötzen aller Mitschüler »Miss Miss«.

Wenn ich von der Schule heimkam, mußte ich putzen, und das tat ich, so gut es meine Fähigkeiten mir erlaubten (und die waren nicht besonders). Wenn ich in der Küche helfen mußte, ließ ich meist alles anbrennen oder machte irgendwie alles falsch. Ich war erst zehn, und das Kochen war nicht meine Sache.

Nach zwei Monaten bei den Simons brach der Krieg aus, und alles wurde noch schlimmer. Mrs. Simons arbeitete den ganzen Tag, während Mr. Simons gar nichts tat. Ihr Sohn John machte mir das Leben sauer, indem er mich so lange aufzog und ärgerte, bis ich anfing zu weinen. Er war vier Jahre älter als ich. Die Tochter Esther war zwei Jahre jünger. Ich schlief mit ihr in einem Bett, das sie jede Nacht naß machte.

Bald hatte ich kein Schreibpapier und keine Briefmarken mehr und erst recht kein Geld, um mir das Nötige zu kaufen; nun konnte ich nicht einmal mehr meiner Mutter schreiben, um ihr mitzuteilen, wie es mir ging.

Mein Bruder lebte nur ein paar Straßen weiter, aber ich hatte nie Zeit, ihn zu besuchen. Wir sahen uns nur, wenn wir zum Cheder* gingen, einmal in der Woche. Aber auch das hörte auf, als die Luftangriffe begannen.

Coventry war ein bevorzugtes Ziel der Nazibomber. Als es immer schlimmer wurde, flohen die Simons aufs Land, wo Mrs. Simons Leute kannte, die sich bereit erklärt hatten, die ganze Familie aufzunehmen. Wir lebten also jetzt in dem Dorf Edgehills bei Banbury. Es war ein idyllischer Ort – das heißt, es hätte ein idyllischer Ort sein können, wenn es nicht überall geheißen hätte: »Ihr Deutschen seid daran schuld, daß wir das hier durchmachen müssen.«

Zwei Wochen blieben wir in Edgehills, dann zogen wir um nach Kineton, das im Tal lag. Mrs. Simons ging zweimal in der Woche nach Coventry, um in ihrem Laden zu arbeiten, und kam erst abends nach Hause. Immer wenn ich mit Mr. Simons allein war, stellte er mir nach und fiel über mich her. Ich hatte keine Möglichkeit, mich gegen ihn zu wehren, und ich schämte mich; aber eines Tages fand ich doch den Mut, mich meiner Mutter anzuvertrauen.

Dann kam ich dank der Hilfe des Bloomsbury House in eine Hauswirtschaftsschule in Westmill, bei Buntingford, die von evakuierten Londoner Lehrerinnen geführt wurde. In meine Obhut wurde die Ziege Alma gegeben, und der Umgang mit diesem Tier machte mich wieder froh. Ich fand auch eine Freundin in Westmill, und ich lernte kochen, was ich seitdem leidenschaftlich gern tue.

In den Ferien besuchte ich meine Mutter in London. Inzwischen lebte sie mit drei Freundinnen in einer Wohnung und arbeitete in einer Fabrik, wo sie Mäntel nähte. In den Ferien kam ich auch mit meinem Bruder zusammen, der mit seiner Familie in Hertford mehr Glück gehabt hatte. Er ging auf die Battersea Grammar School, die ebenfalls aus London evakuiert war.

Trotz der Bomben freuten wir uns auf die kostbaren Tage, an denen wir zusammensein konnten. Ich las Shakespeare und sah Laurence Olivier im Old Vic. Dann meine erste Oper in Covent Garden. All das arrangierte meine Mutter, die auf kulturelle Dinge sehr viel Wert legte, obwohl sie fast kein Geld hatte. Mit fünfzehn mußte ich Westmill verlassen, ich hatte ausgelernt. Es war Juni 1944, und in Europa wütete noch immer der Krieg.

Bei einem Zahnarzt in Barnet fand ich eine Arbeitsstelle. Neun Monate bei ihm – dann erhielten wir unsere Affidavits für die USA.

Die Aquitania, ein Hospitalschiff, fuhr von Greenock nach New York, wo wir am 12. April ankamen, einen Tag vor Roosevelts Tod. Dort wurden wir von unseren Verwandten abgeholt. Seitdem ist unser Leben in ruhigeren Bahnen verlaufen.

Großbritannien habe ich meine Rettung zu verdanken, aber ich denke auch, daß die übrige Welt mehr hätte tun können, als nur dabeizustehen und zuzuschauen.

Günther Abrahamson
(Ottawa, Kanada)
Aus Berlin

Mein Vater war Rechtsanwalt. Er brachte sich um, als die Nazis an die Macht kamen. Aber damals wußte ich das nicht, man hielt es vor mir geheim. Mit zwölf verließ ich Deutschland, das war 1939, keine zwei Monate vor Ausbruch des Krieges. Meine Schwester, die fünf Jahre älter war als ich, war ein Jahr zuvor nach Palästina geschickt worden. Ihre Abreise hatte sich beschleunigt, nachdem ein Gestapo-Mann ihr gegenüber die Bemerkung fallengelassen hatte, es werde ihr bestimmt Spaß machen, »in Oranienburg Blumen zu pflanzen« – daß sich in Oranienburg, ganz in unserer Nähe, ein Konzentrationslager befand, wußten wir. Mit sechzehn hatte meine Schwester ihr Leben selbst in die Hand genommen. Als überzeugte Zionistin hatte sie an Hachshara* teilgenommen, einem schulischen Trainingsprogramm, das junge Leute auf die Emigration und auf die Landarbeit in Palästina vorbereitete.

Als das jüngere Kind war ich viel anhänglicher und keineswegs hart im Nehmen. Später wurde mir klar, daß es auch meiner Mutter das Herz zerrissen hatte, als sie sich an den Gedanken gewöhnen mußte, mich wegzuschicken. Aber in den Monaten, die dann folgten, bereitete sie mich auf die Abreise vor wie auf ein freudiges Ereignis. Zwei Länder standen zur Wahl, Palästina und England; ich weiß nicht, warum die Entscheidung am Ende auf England fiel.

Ich hatte einen Koffer und zehn Reichsmark in der Tasche, und damit wurde ich in den Zug gesetzt. In England tauschte ich das deutsche Geld gegen einen Shilling ein, der sehr bald dazu verwendet wurde, etwas aufregend Neues zu erwerben – Marsriegel. Die Reise nach

England war nichts Besonderes. Wir bestiegen die Fähre in Hoek van Holland und kamen am nächsten Morgen in Harwich an, von wo uns ein Bus zum Empfangslager brachte, Barham House in Claydon, bei Ipswich.

Bei der Anmeldung erinnere ich mich an das verwunderte Gesicht einer Frau, als ich sagte, sie solle in meine Papiere eintragen, daß ich Tischler werden wolle, wenn ich groß bin. Dann wurden wir auf die einzelnen Gebäude verteilt. Jedes Haus trug den Namen eines berühmten britischen Politikers. Meins war das Baldwin-Haus. Unser Hausvater Max Haybrook, der ein bißchen Deutsch konnte, kümmerte sich um uns wie um eigene Kinder und sorgte dafür, daß wir uns in der ungewohnten Umgebung zurechtfanden.

Er bestimmte Hans Silberstein zu meinem Mentor. Hans, sechs Monate älter als ich und vor mir angekommen, besaß das Privileg, die Hühner des Camps versorgen zu dürfen, und er erlaubte mir, daß ich ihm dabei half. Das Leben im Camp war ein Riesenspaß für mich. Es war Hochsommer, und ich kam mir vor wie in den Ferien. Haybrook ließ uns Briefe nach Hause schreiben. Nachdem der Krieg erklärt worden war, durften wir im Monat fünfundzwanzig Wörter schreiben, auf Formulare des Internationalen Roten Kreuzes, und wir erhielten Antwortbriefe von gleicher Länge. 1942 kamen die kurzen Mitteilungen, die ich an meine Mutter geschrieben hatte, zurück – unzustellbar. Nach dem Krieg erfuhr ich, daß sie in das Vernichtungslager in Riga deportiert worden war.

Für Jungen, die sich auf ihre Bar Mizwa vorbereiteten, gab es Unterricht von einem Rabbi. Ich war frech, also gab er mir eine Ohrfeige, und ich verließ seinen Unterricht für immer. So kam ich um meine Bar Mizwa.

Wenn es Pläne für meine Zukunft gab, so erinnere ich mich nicht, daß irgend jemand mir davon etwas mitteilte. Viele Jungen wurden von Verwandten abgeholt oder von Familien, die sich bereit erklärt hatten, Flüchtlingskinder aufzunehmen, andere kamen in Heime. Hans und ich sollten nach Schottland gehen. Hans reiste vor mir ab, weil er unterwegs in London eine Tante besuchen wollte. Bevor ich an die Reihe kam, brachen im Camp die Masern aus, gleich mehrere Wellen von Masern, und jedesmal wurden wir drei Wochen lang unter Quarantäne gestellt, so daß ich erst im Oktober meine Reise antreten konnte.

Das Ziel war Selkirk an der schottischen Grenze. Die Zugfahrt dauerte zwölf Stunden, und ich mußte zweimal umsteigen. Mir war schlecht von der ewigen Schaukelei. An einem kleinen Bahnhof in Northumberland wartete ich auf den Anschlußzug. Da war eine liebe alte Großmama, anscheinend die Bahnhofsvorsteherin. Sie kümmerte sich um mich, hielt meinen Kopf und gab mir stark gezuckerten Tee zu trinken. Keiner von uns verstand den anderen, aber sie wußte, was ein krankes Kind braucht, und ich werde ihre Güte nie vergessen. Ein paar Stunden später kam ich in Selkirk an.

Am Bahnhof wurde ich von einem großen, vornehm aussehenden Mann mit weißem Schnurrbart abgeholt, der irgendwie in Verbindung mit dem Priorat stand. Das war ein Kinderheim in einem viktorianischen Herrenhaus, mein Bestimmungsort. Der weißhaarige Mann war außerdem der Vater der Schwester Oberin, die das Heim leitete.

Er sagte, ich solle mich ja in acht nehmen und mich gut betragen, dann würde mir nichts passieren. Ich konnte noch nicht gut genug Englisch, um zu fragen, was mir blühte, wenn ich mich nicht an seine Weisung hielt, aber ich hatte so eine Ahnung, daß das Priorat nicht zu den Orten zählte, an denen ich gern länger verweilen würde.

Noch einmal wurde Hans Silberstein beauftragt, sich um mich zu kümmern. Er war dreizehn. Er sagte, ich hätte die Wahl zwischen der Public School, wo man berufliche Dinge lernte, und der High School, wo die akademischen Fächer gelehrt würden, und riet mir zum Besuch der letzteren. Ich folgte seinem Rat. Aber mein Englisch war äußerst mangelhaft, und so kam ich in die unterste Klasse.

Da ich der einzige Junge in der Klasse war, gab es genug Anreiz für mich, Englisch zu lernen. Und die Mädchen zeigten sich stets bereit, meine Hausaufgaben zu übernehmen. Im Heim kümmerte es keinen Menschen, ob ich gut oder schlecht in der Schule war und genug lernte. Motivierte und reife Jugendliche wie Hans hatten keine Schwierigkeiten, sie bekamen immer die besten Noten und wurden gelobt. Der Direktor erzählte mir Jahre später, daß die Lehrer sich oft gewünscht hatten, mehr Flüchtlingskinder unterrichten zu können. Trotz unserer seltsamen Kleider und unseres fremdartigen Akzents wurden wir von den schottischen Kindern und ihren Eltern sofort akzeptiert.

Überhaupt waren die Leute in Selkirk sehr nett zu uns. Manche Freundschaft, die wir damals schlossen, hält nun schon über fünfzig Jahre. Aber im Priorat gefiel es mir nicht. Ich war unglücklich. Das Essen war schlecht, und ich war, wie alle heranwachsenden Jungen, ständig hungrig. Eine Handvoll älterer Jungen führte das Regiment. Sie tyrannisierten alle anderen, und ich schrieb an Haybrook in Barham House und bat ihn, mich in das Camp zurückkehren zu lassen. Er muß selbst Nachforschungen angestellt haben, aber ich erfuhr nichts davon, bis alle Flüchtlingskinder eines Tages in die privaten Gemächer der Schwester Oberin gerufen wurden, deren Betreten uns normalerweise streng untersagt war. Sie baute sich vor uns auf, groß und in der ganzen Pracht ihres Ordenskleides, mit einer weißen, gestärkten Haube auf dem Kopf, und neben ihr stand ihr Vater, der eigens von Edinburgh angereist war. Dann verkündete sie, daß einer von uns es gewagt habe, sich schriftlich über das Priorat zu beschweren, und nicht nur das, schlimmer noch, dieser Junge habe eine eherne Regel verletzt, die besagte, daß wir ihr all unsere Briefe vorzulegen hätten, auf daß sie über deren Versendung befinde. Angeblich entspreche dies einer Anordnung der Polizei. Alle Leute, die für mich Autoritäten darstellten, sahen mich an, und ich gab ohne Zögern meine Verfehlung zu. Es gab keine Strafe, aber weitere Verbrechen wurden wirkungsvoll unterbunden, indem man mir mitteilte, daß ich hinfort meine Briefmarken selbst zu kaufen hätte. Nur bekamen wir keinen Pfennig Taschengeld.

Sonntags wurden wir ungeachtet unserer jeweiligen Religion zweimal täglich zur Kirche geführt, wo wir am Gottesdienst der Reformierten Schottischen Kirche teilnehmen mußten. Jeder von uns unterlag diesem Zwang, aber ich glaube nicht, daß man uns ernstlich bekehren wollte. Es gab Jungen, die protestierten. Ihnen wurde gesagt, daß ein Kirchgang noch keinem geschadet habe. Ich besuchte regelmäßig das Pfarrhaus, wo die Schwester des Pfarrers mich in Englisch unterrichtete und die Mutter des Pfarrers mir stets ein gutes Abendessen zubereitete. Es gab von keiner Seite irgendeinen Versuch, mich wegen meines Glaubens beziehungsweise fehlenden Glaubens irrezumachen.

Der Pfarrer schenkte mir ein Fahrrad, und ich begleitete ihn manchmal, wenn er auf dem Land zu tun hatte. Einmal machte er mich mit einer Bauernfamilie bekannt, bei der ich dann jedes Wochenende und jeden freien Tag verbrachte. Sie behandelten mich, als gehörte ich zu ihnen, und als ich fünfzehn war und endlich die Schule und das Heim verlassen durfte, fing ich bei diesen Bauern zu arbeiten an. Bis 1946 blieb ich dort. Noch heute betrachten sie mich als ein Mitglied der Familie, und immer wenn ich in Schottland bin, besuche ich sie.

Kurt Fuchel
(Rocky Point, USA)
Kurt Fuchsl aus Wien

1938 geriet in Wien das Leben aus den Fugen. Die Nazis besetzten Österreich. Es war eine Vergewaltigung, aber das Opfer genoß jeden Augenblick. Ein Gesetz wurde erlassen, das es jedem, der über gute Beziehungen zu den Nazis verfügte, ermöglichte, sich die Wohnung, die ihm gefiel, anzueignen – vorausgesetzt, es war eine Wohnung von Juden: Man konnte die jüdischen Bewohner nämlich kurzerhand auf die Straße setzen und selbst einziehen.* So wurde uns in der berüchtigten »Kristallnacht« angekündigt, daß wir innerhalb weniger Stunden unsere Wohnung zu räumen hätten. Meine Mutter berichtete, daß eine gewisse Frau Janaba Fotos von unseren Räumen im Geschäft eines Raumausstatters gesehen habe. Diese Frau besuchte uns dann, fragte, ob wir die Wohnung verkauften, und erhielt einen abschlägigen Bescheid.

Einige Tage später wurde mein Vater in das Hauptquartier der NSDAP zitiert. Meine Mutter kannte seinen Stolz und sein aufbrausendes Naturell und erlaubte ihm nicht, selbst hinzugehen. Statt dessen ging sie. Man sagte ihr, daß wir unser Zuhause mit all unseren Besitztümern bis neun Uhr desselben Abends zu verlassen hätten, Frau Janaba habe die Wohnung übernommen. Meine Mutter protestierte. Sie sagte, ihr Kind sei krank und schlafe schon. Das Ergebnis war, daß ihr ein Aufschub bis um sechs Uhr des folgenden Morgens gewährt wurde. Frau Janaba fragte: »Was ist, wenn sie sich an *meinen* Sachen vergreifen?« Der Beamte erwiderte ihr: »Das werden sie nicht wagen.«

Am nächsten Morgen tauchte Frau Janaba auf. Mein Vater sagte ihr, sie sei eine Diebin, sie stehle das, wofür er und meine Mutter gearbeitet hätten. Darauf sie: »Hören

Sie auf damit, oder ich sorge dafür, daß man Sie alle ins Konzentrationslager schickt.« In diesem Moment platzte ich herein – ich war sieben – und sagte zu der fremden Frau: »Du bist böse. Du bist schon vorher bei uns gewesen, du lügst.« Die Frau geriet in Verwirrung, als sie auf diese Weise von einem kleinen Kind die Wahrheit gesagt bekam, und sie schrie: »Bringen Sie sofort das Kind weg!«

Wir kamen bei einem Freund unserer Familie unter und lebten zu dritt in einem kleinen, schmuddeligen Zimmer, bis wir Wien verlassen konnten.

Zur Schule fuhr ich gewöhnlich mit der Straßenbahn: Meine Mutter setzte mich an unserer Haltestelle hinein, und ein Schuldiener holte mich an der nächsten Haltestelle ab. Eines Tages erfuhr meine Mutter, daß ich ein sehr gesprächiger kleiner Junge war: Ich hatte nämlich jedermann in der Straßenbahn erzählt, was dieser böse Mann, der Hitler, meinem Vater antat und was ich sonst noch so von ihm hielt. Danach fuhr ich nie mehr allein in der Straßenbahn.

Meine Eltern entschlossen sich, mich nach England zu schicken, sobald sich die Gelegenheit dazu ergab. Dort sollte ich vorübergehend bei einer Familie leben, bis sie selbst eine Möglichkeit gefunden hätten, sich im Ausland zu etablieren. Nach mehreren Briefen hin und her wurde die Familie Cohen in Norwich für mich ausgewählt, und eines Tages im Februar 1939 bekam ich ein Stück Pappdeckel mit einer Nummer um den Hals und wurde in den Zug nach England gesetzt.

Wir waren eine erschreckte Herde Kinder und bekamen einen Geschmack vom Flüchtlingsleben, als wir in Antwerpen ankamen und dann mit dem Schiff nach Harwich an die Ostküste Englands gelangten. Am nächsten Morgen wurde ich von den Cohens abgeholt, und wir fuhren nach Norwich. Ich sehe mich noch, wie ich auf das Haus zugehe – ein kleiner Junge in seinen besten österreichischen Kleidern: kurze Hosen, Jackett, lange wollene Strümpfe mit Strumpfhalter, hohe Stiefel. Nach drei Tagen Reise muß mein Erscheinungsbild allerdings erheblich gelitten haben. Vor mir sehe ich auch die Treppen, die zum ersten Stock hinaufführten. Dort oben saß John, fünf Jahre alt, der seinem neuen Bruder nicht ohne Ängstlichkeit entgegensah. Ich wurde ausgezogen und erst einmal von Kopf bis Fuß geschrubbt, dann wurden meine Kleider in den Ofen gesteckt, und ich bekam neue. Nach dieser Prozedur versammelte sich die ganze Familie um den Tisch, und es gab ein herrliches Huhn zu essen. Da konnte ich wieder lächeln, denn diese Sprache verstand ich.

Als nächstes mußte ich Englisch lernen. Zu diesem Zweck wurde ein älterer deutscher Herr engagiert, der in der näheren Umgebung wohnte. Er trug eine dicke Brille, war sehr schroff, und ich hatte große Angst vor ihm. Vielleicht lernte ich gerade deshalb die fremde Sprache so schnell. Sechs Wochen später schrieb ich meinen Eltern auf englisch: »Ich spreche jetzt kein Deutsch mehr«, und von diesem Tag an habe ich tatsächlich kein Wort Deutsch mehr gesprochen.

Eine sehr deutliche Erinnerung aus dieser Zeit habe ich an eine Erfindung, die Morrison-Luftschutzhütte genannt wurde. Sie stand dort, wo einst der Eßzimmertisch gestanden hatte, war etwa so groß wie ein Doppelbett und hatte ein dickes Stahldach. Die Beine bestanden aus schweren stählernen Winkeleisen, der Boden aus Stahlstreifen und Sprungfedern, und an den Seiten war Maschendraht, den man aufwickeln konnte. Man sollte sich in diesen Schutzraum retten können, falls das Haus bei einem Luftangriff zusammenfiel. Mein Stiefbruder John und ich schliefen darin während der schlimmsten Bombardierungen. Sobald die Sirenen anfingen zu heulen, stieß der Rest der Familie zu uns. Uns Kindern machte die Hütte Spaß. Wir spielten Löwen im Zoo und ähnliches.

Die Wiese hinter unserem Haus war das erste Opfer

des Krieges. Sie wurde umgegraben und in einen Gemüsegarten umgewandelt. Eine Ecke wurde abgezäunt; dort lebten die Hühner, von denen wir eine Aufbesserung unserer Zuteilung von einem Ei pro Person in der Woche erwarteten. An Feiertagen wanderte gelegentlich eines der Hühner in den Kochtopf. Ich fühlte jedesmal tiefe Trauer, denn ich litt mit den Dahingemetzelten. Doch merkwürdigerweise verdarb mir die Traurigkeit keineswegs den Appetit.

Irene Liron
(Israel)
Irene Borchardt

Anfang Mai 1939 kam ich mit einem Kindertransport in London an, wo meine Pflegeeltern mich in Empfang nahmen. Natürlich konnte ich kein Englisch, so daß sich die Kommunikation äußerst schwierig gestaltete, aber ich folgte ihnen brav zu ihrem Auto, und nach langer Fahrt erreichten wir das kleine Dorf in Sussex, wo sie zu Hause waren. Sie behandelten mich wirklich sehr gut. Der Familienvater war Herr über fast das gesamte Dorf, und materiell gesehen fehlte es mir an nichts.

Ich war wohl ein ziemlich wildes Mädchen. Nach den ersten Tagen des Eingewöhnens fing ich schon an, auf die Bäume zu klettern. Meine Pflegemutter zögerte nicht, dies meinen Eltern mitzuteilen, und sofort erhielt ich einen sehr eindringlichen Brief meiner Mutter. »Du darfst nicht auf Bäume klettern«, schrieb sie. »Du darfst deinen neuen Eltern keinen Kummer machen. Du darfst nicht so wild sein. Du mußt brav sein. Du darfst nicht laut sein. Du mußt dankbar sein, daß sie dich aufgenommen haben. Du mußt ein gutes Mädchen sein und alles tun, was sie dir sagen. Du mußt ihnen die Wünsche von den Augen ablesen.«

Mehr oder weniger waren alle ihre Briefe so. Brav und dankbar sollte ich sein, das war das Wichtigste. Und dann beklagte sie sich darüber, daß ich nicht häufig genug schrieb. Wenn ich mir das heute überlege – ich glaube, man kann von einem zehnjährigen Kind nicht erwarten, daß es jede Woche seitenlange Briefe schreibt. Aber natürlich verstehe ich heute auch die Sorgen meiner Mutter. Wenn ich mich schlecht benahm, so konnte das immer bedeuten, daß man mich zurückschickte. Was würde es heute für *mich* bedeuten, wenn ich gezwungen wäre, meine jüngste Tochter zu fremden Leuten in ein fremdes Land zu schicken? Entsetzliche Vorstellung!

Inzwischen hatte sich eine alleinlebende Dame gefunden, die sich bereit erklärte, meine dreizehnjährige Schwester aufzunehmen. Meine Schwester sollte im August ankommen, und meine Pflegeeltern planten, mit mir nach London zu fahren, damit ich sie abholen konnte. Dann aber entschloß sich diese Frau, erst einmal Ferien zu machen, und die Ankunft meiner Schwester wurde auf Mitte September verschoben. Doch dann war es zu spät, denn inzwischen war der Krieg ausgebrochen, und meine gesamte Familie kam in den Todeslagern um. Soweit ich weiß, besitze ich heute keine Angehörigen mehr, nirgendwo auf der Welt.

Im September kam ich in die Schule. Ich wurde zusammen mit meinen Stiefbrüdern in ein Internat in Devon geschickt, und bis auf den heutigen Tag bin ich dankbar für die gute Erziehung, die ich dort genossen habe. Während der Luftangriffe besuchten wir etwa zwei Monate lang die Dorfschule.

Diese Schule bestand aus einem großen Raum, in dem zwei Lehrer unterrichteten. Ich weiß nicht, ob ich irgend etwas lernte in dieser Zeit, aber ich erinnere mich, daß ich alles tat, um dazuzugehören und nicht anders zu sein als die anderen Kinder. Ohne rechten Erfolg allerdings, denn im ganzen Dorf war ich *die Deutsche* – sie wußten nicht, was ein Jude ist –, und da Deutschland der Feind war, den man gerade mit aller Kraft zurückzuschlagen suchte, konnte natürlich auch ich nicht mit Sympathie rechnen.

Das Schwierigste für mich waren jedoch die allwöchentlichen Besuche in der christlichen Kirche. Meine Eltern hielten sich an die jüdische Tradition, aber sie waren nicht religiös. Trotzdem fühlte ich mich sündig, wenn ich die Kirche besuchte. Ich tat so, als ob ich beten würde wie die anderen, ich hörte mir die Predigt an, aber in Wahrheit war es eine Tortur für mich. Natürlich wußte ich, daß ich nur zu sagen brauchte, ich sei Jüdin und wolle nicht zur Kirche gehen, und kein Mensch hätte mich zwingen können – aber so dumm sind Kinder; sie wollen sich nicht unterscheiden; wenn sie anders sind, schämen sie sich zu Tode.

Glücklicherweise kehrten wir im nächsten Schuljahr ins Internat zurück. Dort gab es überhaupt keinen Religionsunterricht und keinen religiösen Zwang. Dann aber kam das jüdische Flüchtlingskomitee irgendwie dahinter, daß ich ohne fromme Unterweisung dem Leben ausgesetzt war, und es entschied, daß ich einen Bibelfernkurs zu absolvieren hatte. Man schickte mir also eine Bibel und Unterrichtsmaterial. Das Problem waren nicht die Lektionen, sondern der Umschlag, auf dem klar und deutlich gedruckt stand: »Bibelkunde«. Ich hatte Angst, daß die anderen Kinder mich auslachen würden, wenn sie das zu Gesicht bekämen! An den Tagen, an denen ich den Umschlag erwartete, stürzte ich also zur Poststelle, sobald ich hörte, daß die Post gebracht wurde, und riß den Umschlag an mich, bevor irgend jemand etwas bemerken und Verdacht schöpfen konnte. Und es gelang mir tatsächlich, meinen Bibelkurs in dieser ganzen Zeit vor allen geheimzuhalten.

Paula Hill
(London)
Paula Moise aus Braunschweig

Als der Zug an jenem schicksalhaften Morgen im Januar 1939 seine Fahrt beschleunigte, stand ich am Fenster und warf einen letzten Blick auf die Welt, die bald hinter mir liegen sollte. Ich sah die immer kleiner werdende Gestalt meiner verwitweten Mutter, die meinen kleinen Bruder an der Hand hielt. Wieder und wieder taucht diese Szene während meines Erwachsenenlebens unwillkürlich vor mir auf. Aber ich war ja nicht die einzige, die von dieser Erinnerung heimgesucht werden sollte. Stumm und in sich gekehrt saßen die Kinder während der Fahrt auf ihren Sitzen. Mein dreizehnjähriger Bruder befand sich auch irgendwo im Zug, aber wo? Zu dieser Zeit waren wir uns alle schon bewußt, daß alles möglich war, jeder Akt von Grausamkeit und Unmenschlichkeit. Als eine Gruppe uniformierter Zombies mit kalten, mitleidlosen Blicken im Gang des Zuges erschien, löste das einen fürchterlichen Schrecken in mir aus.

Zum Glück ging alles gut; die Reise verlief ohne Zwischenfälle. Harwich war grau und trüb – aber das Krachen der schäumenden Winterwellen gegen die Kaimauer erschien mir paradiesisch: Wie anders klang es als das Geräusch marschierender Soldaten, als ihre hysterischen Schreie! Mein Bruder entdeckte mich, und wir umarmten uns. Endlich in Sicherheit! Wenigstens dachten wir das.

Bald sollten wir eine neue Art des Terrors kennenlernen – die Selektionen von Dovercourt, bei denen bestimmt wurde, wer wohin und zu wem kam. Man stellte mich in die Reihe, und da ich zierlich, blond, blauäugig und erst zehn Jahre alt war, fand ich bald »Abnehmer«. Vielleicht hätte ich mich geschmeichelt fühlen sollen, aber ich fühlte etwas ganz anderes. Denn die Leute, die mich aufnehmen wollten, waren keine Juden, und da ich in einer orthodoxen Familie aufgewachsen war, empfand ich nun Groll und tiefes Mißtrauen. Und hatte ich nicht recht? Waren die Nazis nicht ebenfalls Christen? Für ein Kind, das noch nicht alle Aspekte eines Problems begreifen kann, mußte ein Christ zwangsläufig dem anderen gleichen. Aus purer Angst verlegte ich mich darauf, mich hinter den Hütten des Camps zu verstecken, um nichts mehr von den schrecklichen Selektionen mitzubekommen. Aber ich sollte damit kein Glück haben.

Mein tiefreligiöser Bruder fürchtete um meine jüdische Seele; er sprach den netten Damen, die mich mitnehmen wollten, seinen Dank aus, nur um dann darauf zu bestehen, daß ich in eine jüdische Familie kam. Aber eine der Damen, eine schöne, elegante, in einen Pelzmantel gehüllte Frau, die keine Kinder hatte, ließ sich nicht von ihrer Absicht abbringen. Mit Tränen in den Augen sagte sie zu meinem Bruder, daß sie dafür sorgen werde, daß ich immer koscheres Essen bekam. »Das ist nicht genug«, entgegnete mein Bruder. »Man muß auch für eine jüdische Erziehung sorgen.« Unverzagt versprach die entzückende Dame auch dies. Aber es half alles nichts – mein Bruder ließ es nicht zu.

Jene, die nun über uns zu bestimmen hatten, nahmen meinen Bruder ins Gebet.

»Wie kannst du es wagen, solche Forderungen zu stellen! Du hast Glück gehabt, daß du hier gelandet bist. Wir haben keine jüdischen Familien mehr, die Flüchtlingskinder aufnehmen wollen.« Und sie drohten: »Wenn du so weitermachst, müssen wir dich nach Deutschland zurückschicken!« Stoisch gab mein Bruder zur Antwort: »Tun Sie, was Sie nicht lassen können!«

Doch dann geschah ein Wunder. Zwei Damen tauchten auf, die sagten, sie seien gekommen, um Kinder für jüdische Familien in Birmingham auszuwählen – ob wir mitkommen wollten. Und ob wir wollten! Sofort rannten wir in unsere Hütten, packten unsere paar Habseligkeiten zusammen und bestiegen wieder einmal einen Zug.

Mein Bruder machte sich mit ungebrochener Tapferkeit an die nächste Aufgabe, die vor uns lag. Noch im Zug teilte er den beiden Damen mit, daß er vorhabe, seine Mutter und seinen kleinen Bruder zu retten – sie sollten bitte das Ihre tun, um ihm dabei zu helfen. Ein Lächeln erschien auf ihren Gesichtern. Ein wirklich erstaunliches Kind, dachten sie wohl. Und sie versprachen, sich um die Angelegenheit zu kümmern.

Zunächst mußten wir uns aber erst einmal eingewöhnen. Ich kam zu einem älteren jüdischen Ehepaar. Es waren Leute, die, wie sich herausstellte, in keiner Weise auf das seelisch tief verletzte Kind eingestellt waren, das da in ihr Leben trat.

Mein Bruder hatte es viel besser getroffen. Er wohnte bei einer Witwe und ihren zwei Kindern, deren Alltagsleben nach denselben Regeln gestaltet wurde, wie wir sie von zu Hause kannten.

Mein Bruder begann nun, überall herumzufragen, ob jemand die Dienste eines Hausmädchens benötige – es war der einzige Weg, wie meine Mutter außer Landes kommen konnte. Nach einigen Monaten hatte seine lange Suche endlich Erfolg.

Meine Mutter erhielt zwar das Visum, aber von seiten des Flüchtlingskomitees wurden ihr nun Hindernisse in den Weg gelegt. Man weigerte sich, auch für die Unterbringung meines kleinen Bruders Sorge zu tragen. Der Grund, den sie dafür angaben, war, daß schon zwei ihrer Kinder in England seien, während es viele Familien gab, von denen noch kein einziges Kind in Sicherheit gebracht worden war.

Der Krieg stand kurz bevor, und meine Mutter setzte sich mit all ihrer Kraft für ihren jüngsten Sohn ein. Endlich gab das Komitee nach, und sie durfte auch das dritte Kind zum Bahnhof bringen. Im August 1939 gelang es ihr, nach England zu kommen, und wir zogen wieder alle zusammen.

Mein erstaunlicher älterer Bruder, der vor der Zeit erwachsen werden mußte, dem die Kindheit weggenommen wurde, emigrierte später mit seiner Familie nach Israel.

Meine Mutter konnte die Geburt fast aller Enkel noch miterleben. Unsere einst dezimierte Familie beginnt nun wieder zu wachsen.

Gerda Svarny
(London)
Gerda Polineccr aus Wien

Da stand ich nun auf dem überfüllten Bahnsteig, wo sich Freunde und Verwandte in die Arme fielen. Allmählich wurde es leerer, und es blieben nur noch ein paar Kinder übrig. Am Ende war ich ganz allein. Kam denn niemand, um auch mich abzuholen? Vielleicht war das Ganze ein fürchterlicher Irrtum? Plötzlich stürzte eine Dame, die ein kleines Mädchen hinter sich herzog, auf mich zu, starrte eingehend auf das Schild, das ich um den Hals hängen hatte, und sagte auf deutsch: »Ah, du bist es, Gerda. Ich habe dich fast vergessen in der ganzen Aufregung. Weißt du, die Leute, die dich zu sich nehmen, konnten nicht kommen, sie haben mich geschickt, damit ich dich nach London bringe. In London wirst du sie selbst kennenlernen.«

Auf der Reise nach London wurde mein Kummer noch größer. Das kleine Mädchen, das auch eben erst angekommen war, war die Tochter der Frau, und miterleben zu müssen, wie überaus glücklich beide waren, wieder zusammenzusein, war für mich kaum erträglich.

Endlich kamen wir in London an, und ich traf meine Pflegefamilie. Schüchtern betrachtete ich sie. Die Frau war groß und dünn, ihr Mann pummelig und gutmütig. Sie hatten einen Sohn etwa meines Alters. Ich mußte die schlaffe Hand der Frau drücken, es war mir alles furchtbar peinlich und unangenehm, denn wir konnten ja nicht einmal miteinander sprechen. Ich weiß nicht, was ich erwartete, aber jedenfalls war ich enttäuscht, und ich fühlte, daß auch sie von mir enttäuscht waren. Dieses verheulte, unglückliche Kind sollten sie mit nach Hause nehmen?

Nach zwei Monaten schon kam ich an einen anderen Ort, und leider weiß ich nicht einmal mehr, wie die Familie hieß.

Selbstverständlich sehe ich heute alles ganz anders. Ich weiß, daß ich bestimmt nicht mehr am Leben wäre, wenn diese Leute nicht so gut und großmütig gewesen wären, mich bei sich aufzunehmen.

John Edelnand
(Luton, England)
Aus Halberstadt

Von dem, was mich in dem neuen Land erwartete, wußte ich wenig, als ich meinen Eltern und meiner zwölfjährigen Schwester zum letztenmal zuwinkte. Ich sollte sie nie wiedersehen. Als ich aus Deutschland floh, war es auf den Tag genau eine Woche, bis der Krieg ausbrach.

Ich kam zusammen mit zweihundert anderen Kindern in die Gegend von Ashford. Mitten in der Landschaft standen zwei riesige Festzelte. Sie waren mit Feldbetten, behelfsmäßigen Tischen und Bänken ausgestattet, und es wurde uns gesagt, daß wir hier nur vorübergehend bleiben sollten und danach umziehen würden in ein Schloß. Ein richtiges Schloß, dachte ich, das kann nicht wahr sein!

Sechsundvierzig Jahre später, im September, fast genau an dem Datum, als ich zum erstenmal walisischen Boden betreten hatte, fuhr ich noch einmal nach Abergele. Ich hatte das Bedürfnis, jenen glücklichen Tagen nachzuspüren, die wir als Flüchtlinge auf Gwrych Castle verlebt hatten. Als ich das erste Straßenschild mit dem Wort Abergele darauf sah – ich glaube, da setzte mein Herzschlag aus. Während ich dem Ort immer näher kam, nahm ich die friedlich-heitere Atmosphäre, die über der Landschaft lag, mit allen Sinnen auf. Die Septembersonne brach durch den Nebel, der wie eine weiche Decke die saftigen grünen Wiesen bedeckte, und auf einmal erwachten all die Gedanken und Empfindungen von damals wieder in mir. Ich wollte alles über jene Zeit in Erfahrung bringen, ganz besonders aber interessierte mich, was die Einheimischen über die Fremden im Schloß gedacht hatten, diese Jungen, die so schüchtern und reserviert waren, kleine runde Mützen trugen und in einer anderen Sprache redeten. Bald sollten sie als »feindliche Ausländer« abgestempelt werden.

Ich besuchte also all die Orte, an die ich mich erinnern konnte. Zuerst ging ich zu dem Platz, wo Kühe und Schafe versteigert wurden, gleich um die Ecke bei der Market Street. Es hatte sich fast nichts verändert; natürlich kannte ich die Gesichter nicht mehr, und die Autos, die man zum Transport der Tiere benutzte, waren nicht mehr so primitiv wie früher. Aber die Atmosphäre, die mich als vierzehnjährigen Jungen so fasziniert hatte, und das Walisisch, das hier von jedermann gesprochen wurde und von dem ich mich immer schon angezogen gefühlt hatte – das alles war noch genau so wie damals. Ich spazierte die Market Street auf und ab und machte vor einem Laden halt, dem Siop Bach, der Mr. und Mrs. Jones gehört hatte. Mr. Jones hatte ein Glasauge, und er gab mir häufig einen Riegel Schokolade mit, den ich nicht zu bezahlen brauchte, denn er wußte, daß wir für die Arbeit, die wir taten, kein Geld bekamen und daß die Leitung des Heims von Gwrych Castle uns ebenfalls kein Geld geben konnte.

Dazu muß ich sagen, daß wir uns nur deshalb in Großbritannien aufhielten, weil wir hier auf das Leben im damaligen Palästina vorbereitet werden sollten. Wegen der herrschenden Umstände gab es bei der Einreise nach Palästina Beschränkungen, aber jedenfalls faßten wir unseren Aufenthalt in Abergele nur als Zwischenstopp auf.

Das Camp im Schloß wurde wie ein Kibbuz geführt. Wir bekamen Essen, Kleider und alles, was wir sonst noch benötigten. Unser Leben stand unter dem Leitspruch des brüderlichen Teilens. Alles, was es gab, wurde gerecht verteilt, und sogar bei den Kinobesuchen wechselten wir uns ab. Mr. Parry, der das Kino betrieb, ließ mich zweimal in der Woche Filme sehen, ohne daß ich dafür bezahlen mußte. Die einzige Gegenleistung, die er verlangte, war, daß ich die Filmrollen nach der Vorführung in dem kleinen Raum des Vorführers wieder säuberlich aufrollte und alles für den nächsten Tag vorbereitete. Das machte ich sehr gern, weil es etwas ganz anderes war als unsere tagtägliche Arbeit – Bäume zu fällen, Unkraut zu rupfen, Gemüse zu setzen und ähnliches.

An jenem Tag in Abergele ging ich dann zum Parkplatz zurück und fuhr in Richtung Schloß. Bis zu einer Art Pförtnerhaus war der Weg leicht zu finden. Aber die Straße, die von dort direkt zum Schloß führte, war nicht mehr da, sie war völlig überwachsen.

Die Straße namens Tan-y-Gopa Road ist von besonderer Bedeutung für mich, weil ich hier meinen ersten richtigen Land-Gentleman zu Gesicht bekam. Später erfuhr ich, daß er Wil Davies hieß. Er trug Gummistiefel und kaute Tabak. Am ersten Morgen nach meiner Ankunft im Jahre 1939 ging ich diese Straße entlang, und Wil Davies kam mir entgegen. Das ist die Gelegenheit, mein Englisch auszuprobieren! sagte ich mir. (In Deutschland hatte ich eine private jüdische Schule besucht und eine kurze Zeit auch Englischunterricht gehabt.)

»Good mornink«, sagte ich mit unüberhörbarem deutschen Akzent. Er starrte mich an. Nach einer Weile kam die Antwort:

»Bore da, boi bach. Sut 'dachi heddiw?«

Ich war vollkommen konsterniert. Zu dieser Zeit wußte ich nicht, daß die Waliser eine eigene Sprache und Kultur besitzen!

Wil Davies brachte mir eine ganze Menge Walisisch bei, einschließlich der Flüche, und es machte ihm den größten Spaß, mir bei meinen Sprechversuchen zuzuhören. Er lehrte mich auch »Llanfairpwllgwyngllgogerychwyrndrobwllllantysiliogogogoch« zu sagen. Wie Sie sehen, kann ich es bis heute.

Mr. Edwin hatte eine Farm in der Nähe. Ich besuchte ihn und fand ihn gesund und munter mit seinen fünfundsiebzig Jahren. Er half seinem Sohn, der mittlerweile die Farm übernommen hatte, und machte sich überall nützlich. Als ich mich vorstellte, erinnerte er sich nicht daran, daß ich einmal für ihn gearbeitet hatte, aber er erinnerte sich an die Flüchtlinge. Ich fragte nach Wil Davies und erfuhr, daß er im Alter von einundneunzig Jahren gestorben war.

Dann besuchte ich Mrs. Jessie Edwards, die Witwe von Dick Edwards, dem Bäcker, von dem wir unser Brot bezogen hatten. Damals kam er jeden Tag zum Schloß in einem verbeulten alten Lieferwagen, der heute sofort von der Polizei aus dem Verkehr gezogen würde. Mrs. Edwards erinnerte mich daran, daß ich mich manchmal, nachdem das Brot ausgeladen worden war, hinten im Lieferwagen versteckt hatte und bis nach Llwyn Morfa mitgefahren war. Und als ich heraussprang, war ihr nichts anderes übriggeblieben, als mich zum Tee hereinzubitten. Ich glaube allerdings, daß Mr. Edwards immer gewußt hat, daß ich hinten im Lieferwagen war. Der freundliche und großzügige Dick Edwards! Über zwei Stunden unterhielt ich mich mit seiner liebenswürdigen Gattin, und später kam ihr Sohn dazu, der heute eine neue Bäckerei in Old Colwyn besitzt.

Nach all diesen Gesprächen war es nun Zeit, das Schloß selbst aufzusuchen. Aus der Ferne besehen, hatte es sich kaum verändert, aber je näher ich kam, desto deutlicher wurde es mir, daß dieses Gebäude, das einst dreihundert jüdischen Kindern als Heimstatt gedient hatte, langsam zerfiel. Welch trauriger Anblick! Ich kann nicht beschreiben, wie erschüttert ich war. Die Leute von Abergele aber, die ich wiedertraf in den Läden und den Restaurants und deren Bekanntschaft ich erneuerte, sind noch immer so, wie sie waren. Ich werde nie vergessen, daß sie uns in ihrer Mitte aufnahmen, uns das Heimweh vergessen ließen und sich tolerant verhielten, obwohl wir ihnen so fremd erscheinen mußten. In dieser sanften Hügellandschaft wurden wir wahrhaft willkommen geheißen.

Renate Buchthal
Aus Wien

Ich stieß an einem Abend im Juni 1939 zum Kindertransport. Damals war ich zehn, meine jüngere Schwester Vera fast sechs. Am deutlichsten erinnere ich mich an das Meer von Elterngesichtern auf dem Bahnhof; die meisten dieser Eltern sollten ihre Kinder nie mehr wiedersehen. Wir gehörten zu denen, die Glück hatten. Unser Vater war schon in London, unsere Mutter sollte später nachkommen; sie kam auf dem letzten Schiff, das nach England ging, bevor Deutschland den Krieg erklärte.

Die Zugfahrt schien nicht enden zu wollen. Als wir in Holland die Fähre bestiegen, war es dunkel, und ich war enttäuscht, daß man das Meer nicht richtig sehen konnte. Ich hatte das Meer noch nie gesehen, und ich hatte mich darauf gefreut. In Harwich war es grau und feucht. In der großen Halle des Bahnhofs Liverpool Street wurden wir von unseren Pflegeeltern abgeholt. Sie erkannten uns anhand eines Fotos, das sie zugeschickt bekommen hatten. Auch unser Vater war da, und uns fiel ein Stein vom Herzen.

Wir nannten unsere Pflegeeltern Tante und Onkel, und ich glaube, sie hatten es nicht leicht mit uns. Ich hatte Heimweh. Und ich setzte alles daran, ihnen zu zeigen, daß meine Eltern alles besser machten und daß ich keinesfalls dazu bereit war, es auch einmal auf die englische Art zu probieren. Die Tante hatte den Ehrgeiz, ein nettes kleines englisches Mädchen aus mir zu machen, aber gerade das wollte ich ganz und gar nicht sein. Damals fand ich meine Haltung natürlich die einzig richtige; heute sehe ich, daß ich ein ziemlich anstrengendes Kind gewesen sein muß. Aber meine kleine Schwester zeigte sich dafür um so anhänglicher, sie gab den Pflegeeltern ihre Liebe und Fürsorge in vollem Maß zurück. Sie hatten keine eigenen Kinder. Vera gehörte wirklich zu ihnen, und als wir Jahre später wieder mit unseren leiblichen Eltern zusammenleben konnten, war es, als ob sie die Pflegeeltern wären.

Meine Eltern arbeiteten als Hausangestellte bei einem Zahnarzt am gleichen Ort, wir sahen sie fast jedes Wochenende. Diese Treffen waren für alle Beteiligten jedesmal schmerzlich. Für unsere Eltern war es hart, weil sie sahen, wie wir ganz in der Welt der Pflegeeltern lebten, und ich fürchtete mich jedesmal vor der Trennung von ihnen und benahm mich infolgedessen immer mißmutiger und böser den Pflegeeltern gegenüber. Später zogen unsere Eltern in eine andere Stadt, und wir sahen sie nur noch in den Schulferien, was uns allen guttat.

Nach knapp einem Jahr durfte ich endlich wieder zu meinen Eltern ziehen. Ich wußte, daß die Pflegeeltern meine Schwester lieber mochten als mich, aber als ich der Tante mitteilte, daß ich nun bald von ihnen wegging, brach sie in Tränen aus, und ich schämte mich sehr. Ich hatte nicht gewußt, daß sie mich wirklich ins Herz geschlossen hatten, und ganz bestimmt war ich dessen nicht würdig.

Die Tante starb vor einigen Jahren, der Onkel lebt heute in der Nähe meiner Schwester. Unsere leiblichen Eltern sind tot, er ist der einzige Vater, der uns geblieben ist. Wir lieben und verehren ihn sehr.

In mir lebt noch immer dieses Schuldgefühl – daß ich gerettet wurde, als so viele Kinder sterben mußten.

Ruth Michaelis
(London)
Aus Berlin

Vor über fünfzig Jahren kam ich als Vierjährige nach England, ich war eines von vielen Kindern, die Hitlers »Endlösung« entkamen. Vielleicht können wir erst heute, nach über fünfzig Jahren, auf die vergangenen Ereignisse zurückblicken, ohne zurückzuschrecken vor Gedanken und Gefühlen – derart fürchterlichen Gefühlen, daß man sie zur damaligen Zeit nicht akzeptieren konnte.

Ich erinnere mich, daß ich mich furchtbar schlecht fühlte, weil ich kein bißchen Dankbarkeit all jenen guten Leuten gegenüber empfand, die meine Rettung geplant und mein Überleben gesichert hatten. Böse, haßerfüllte Gefühle durften nicht sein, Protest war undenkbar. Ich erinnere mich, daß ich versuchte, Dankbarkeit zu heucheln, obwohl ich das Gegenteil davon in mir spürte. Ich bestrafte mich selbst erbarmungslos mit dem Gedanken, daß besser ich in einem Lager vernichtet worden wäre als eines der anderen Kinder, das sich seiner Rettung sicher würdiger gezeigt hätte als ich. Erst viele Jahre später erfuhr ich von diesem Syndrom, das mit dem Begriff »Schuld der Überlebenden« bezeichnet wird. Meine ganze Kindheit war davon geprägt. Und erst heute wird mir klar, daß ich mir damit das Leben oft selbst unnötig schwer gemacht habe.

Im Frühjahr des Jahres 1988 wurde ich mit meinem Mann und allen anderen ehemaligen Berliner Flüchtlingen vom Regierenden Bürgermeister von Berlin, Eberhard Diepgen, eingeladen. Wir nahmen die Einladung an und verbrachten eine Woche dort. Ich wußte sehr wohl, daß ich nach Erinnerungen suchen würde, die ich verloren hatte. Und tatsächlich tauchte beim Anblick des Bahnhofs Zoo der Beginn unserer Fahrt nach England wieder in meinem Gedächtnis auf. Wir waren im Auto zum Bahnhof gefahren, und ich hatte einen Wutanfall, weil ich nicht in den Zug nach England steigen wollte. Ich wollte in den Zoo gehen und meine Lieblingsaffen besuchen. Meine Tante Ella ging immer mit mir in den Zoo. Ich bin mir ziemlich sicher, daß das der letzte Wutanfall war, den ich hatte, denn die Strafe, die ich mit diesem heftigen kindlichen Gefühlsausbruch assoziierte, war die härteste, die man sich vorstellen kann. Weil ich unartig gewesen war, wurde ich im Stich gelassen und kam in ein fremdes Land.

So sehr ich mich auch bemühte – andere Erinnerungen kamen in Berlin nicht zum Vorschein. Doch bemerkte ich eine ungewöhnliche Ängstlichkeit und Neugierde, was Geräusche anging, die ich nicht sofort identifizieren konnte. Auf dem Friedhof von Weißensee in Ostberlin suchten wir das Grab meiner Großmutter. Es war ein eiskalter Tag, und ich hörte vieles, das mich erschreckte. Wahrhaft grauenvoll war ein tropfender Wasserhahn. Schließlich fand ich heraus, an was mich das regelmäßige, hallende Geräusch erinnerte. Ich verband es mit dem Lärm marschierender Sturmtrupps.

Von der Reise nach England sind mir mehr Einzelheiten gegenwärtig. Sie schien endlos zu sein. Ich staunte über die Größe der Welt. Sie war so groß, daß man immer weiterfahren konnte und nirgends anstieß. Das Schiff war riesengroß, und ich verstand nicht, daß es trotz seines immensen Gewichts nicht einfach unterging. Als wir die Küste verließen, legte mich jemand in eine Koje. Von der Überfahrt und der Ankunft in England weiß ich nichts mehr, aber ich erinnere mich, daß mir in meiner Koje furchtbar übel war.

Ohne meinen Bruder, der drei Jahre älter ist als ich, hätte ich die ersten Wochen in England sicher nicht überlebt. Ich kann es mir jedenfalls nicht vorstellen. Daß man uns erlaubte, während dieser ganzen Zeit zusammenzubleiben, zumindest immer Kontakt zu halten, dafür bin ich immer dankbar gewesen. Mein Bruder erklärte mir all diese Dinge, die mich verwirrt und erschreckt hatten. Ich glaube zwar, daß seine Erklärungen nicht immer genau den Punkt trafen, aber ich war zufrieden damit. Und für ihn war es wahrscheinlich genauso wichtig, jemanden zu haben, um den er sich kümmern mußte – das half ihm, den Lebensmut nicht zu verlieren. Ganz bestimmt hätten ihn meine Eltern ermahnt, auf seine kleine Schwester gut aufzupassen. Und er paßte wirklich immer auf mich auf.

Man verbot uns, Deutsch zu sprechen. Ich lernte sehr schnell Englisch. Ich erinnere mich, daß ich erst dann mein Essen auf den Teller bekam, wenn ich die Bitte darum bei Tisch in perfektem Englisch vortrug. An vielen Abenden ging ich hungrig zu Bett. Nur Martin wußte davon; mitten in der Nacht schlich er sich die Treppe hinunter und plünderte die Speisekammer, damit ich doch noch etwas in den Magen bekam. Mitten in der Nacht: Das waren wirklich die tiefsten, dunkelsten Nächte, von denen ein Stadtkind wie ich keine Vorstellung gehabt hatte! Ich mußte allein in einem Zimmer schlafen, und ich erinnere mich, daß ich in diesem tiefschwarzen, grauenerregenden Nichts dalag und mich fragte, ob überhaupt noch irgend etwas und ob *ich* noch existierte.

Ich hatte viel zuviel Angst, um in der Dunkelheit aufzustehen und zur Toilette zu gehen, aber ich träumte, daß ich zur Toilette gegangen sei. Ich spüre noch immer den kalten Boden unter meinen Füßen wie in jenem Traum und den kalten Klositz an der Haut. Und dann das blanke Entsetzen der warmen Nässe, als ich entdeckte, daß ich gar nicht auf dem Klo gewesen war. Für das Bettnässen wurde ich von der Frau des Direktors mit einem Ledergürtel geschlagen. Ich tat alles, was ich konnte, um es zu verhindern, aber der fürchterliche Traum kam immer wieder. Ich erinnere mich, daß ich auf dem Bauch schlief, weil mein Rücken vom vielen Geschlagenwerden wund war. Und dann die Erleichterung, als ich mit sechs in ein von Quäkern geführtes Internat kam und die Oberin mir sagte, das alles sei nicht weiter schlimm. Sie sagte, fast alle Kinder machten ins Bett und sie hätten Gummieinlagen unter den Laken, wodurch sich das Problem erledige.

Ingrid Gassman
(Kidlington, Oxon, England)
Aus Hamburg

Im Dezember 1938 kam ich mit neuneinhalb Jahren nach England. Etwa einen Monat blieb ich in Dovercourt. Die Reise war etwas Neues und Aufregendes für mich gewesen, bis ich in Hoek van Holland von meinen beiden Brüdern getrennt wurde. Die Zeit, die ich ohne sie verbringen mußte und vergeblich nach ihnen suchte, schien Monate zu dauern, doch in Wirklichkeit waren es höchstens zwei Wochen. Am 3. Januar wurden wir auf einen Hof in Pluckley, Kent, gebracht, und bald danach kam ich in eine christliche Familie mit drei Söhnen etwa meines Alters.

Wie die meisten Kinder, die auf diese Weise nach England kamen, durchlebte ich traumatische Erfahrungen und war infolgedessen als Heranwachsende kein leichter Fall. Meine Pflegeeltern legten die Geduld eines Hiob an den Tag. Sie ließen es nicht zu, daß ich meine richtige Familie aus dem Gedächtnis verlor, und bestanden darauf, daß ich an meine Brüder und meine Schwester regelmäßig Briefe schrieb. Alle akzeptierten mich als vollwertiges Mitglied ihrer Familie (und das ist heute noch so).

Das meiste Englisch lernte ich mitten in der Nacht. Da schreckte ich oft aus Alpträumen hoch, die ich hatte, seitdem ich 1938 in Hamburg drei Monate lang im Krankenhaus gewesen war. Alle wurden wach von meinen Schreien und kamen besorgt an mein Bett, um mich zu beruhigen.

Aber an der Verwirrung, in der ich mich befand, konnte meine neue Familie doch nichts ändern. Es war eine dreifache Verwirrung. Erstens war ich jahrelang nicht sicher, ob ich nun Deutsche oder Engländerin, Jüdin oder Christin sei. Ich saß immer zwischen allen Stühlen, und das tat weh. Heute habe ich das Problem endlich gelöst und bin mit mir im reinen.

Zweitens wollte ich lernen. Für meine Pflegeeltern war die höhere Schulbildung keine Selbstverständlichkeit, obwohl sie sie akzeptierten und auch bereit waren, Geld dafür auszugeben. Dennoch konnte ich meine akademische Ausbildung als Lehrerin erst nach dem dreißigsten Lebensjahr beenden.

Die dritte Ursache ständiger Konflikte lag in meiner eigenen Familie. Meine Mutter überlebte den Krieg, aber sie war eine eifersüchtige und wankelmütige Person. Immer hoffte ich, endlich von ihr anerkannt zu werden, aber diese Hoffnung erfüllte sich nie.

Hätte ich die Ruhe und Gelassenheit nicht erfahren, die im Haus meiner Pflegefamilie herrschten, so wäre es mir bestimmt nicht gelungen, zu einem Ausgleich meiner inneren Widersprüche zu kommen, und ich wäre die zerrissene Person geblieben, die ich damals war.

John Najmann
(London)
Aus Breslau

Die Nacht, als unser Leid begann ...

Am 9. November 1938 endete meine Kindheit, und die Welt brach auseinander. In dieser Woche feierte ich meinen vierzehnten Geburtstag in der Stadt Breslau, in Deutschland – heute Wrozlaw, Polen –, wo ich geboren und aufgewachsen war.

Obwohl der Krieg der Deutschen gegen die Juden schon fünfeinhalb Jahre früher begonnen hatte, denke ich, daß ich eine recht glückliche Kindheit verleben durfte. Ich ging in die Jüdische Schule und lebte in einer religiös geprägten, traditionellen jüdischen Umgebung.

Nur vage war ich mir der Kümmernisse bewußt, die meine Eltern in jenen Jahren durchlebten, aber an die Schwierigkeiten, die wir nach der Verschärfung der antijüdischen Gesetze hatten, erinnere ich mich noch gut: Die koscheren Metzgerläden wurden geschlossen; in den Klassenzimmern der Jüdischen Schulen verdoppelte sich die Zahl der Schüler, weil so viele Kinder gezwungen worden waren, die nichtjüdischen Schulen zu verlassen; wir konnten nicht mehr ins Kino gehen, ins Schwimmbad, zum Schlittschuhlaufen oder auch nur auf den Spielplatz im Park – all das war Juden jetzt untersagt.

Die Väter von Klassenkameraden wurden mitten in der Nacht abgeholt, ins »Braune Haus« gebracht und verprügelt. Am nächsten Morgen fand man sie in der Gosse. Unser Hausarzt beging Selbstmord.

Aber das Schlimmste war, daß wir vergeblich auf unsere Papiere warteten – Monat um Monat verging, und die Papiere, die wir brauchten, um nach Palästina zu emigrieren, kamen nicht.

Sie sollten niemals kommen. Vor den Toren der Konsulate bildeten sich lange Schlangen. Die Leute standen dort von morgens bis abends und manchmal ganze Nächte hindurch, als Gerüchte aufkamen, daß Kuba oder Peru oder Bolivien eine begrenzte Zahl von Visa ausgeben würden. Ich erinnere mich, daß mein Vater heimkam und sagte, ich solle meinen Schulatlas holen. Er hatte gehört, daß es Visa für San Domingo gebe, und wollte nun nachsehen, wo San Domingo liegt. Nach dem Krieg fand ich das Gebetbuch meines Vaters. Darin lagen die Schiffskarten, die er für die ganze Familie gekauft hatte – nach San Domingo.

In meiner kindlichen Vorstellung muß ich das für die Normalität gehalten haben, die natürliche Ordnung der Dinge – bis zum 9. November, der »Kristallnacht«. Diese Nacht markierte bekanntlich den Beginn der physischen Zerstörung der deutschen Juden und der Vernichtung von Millionen Juden überall in Europa.

Morgens verließ ich wie üblich das Haus, um zur Schule zu gehen. Auf der Straße sah ich meinen Klassenlehrer. Er hatte den Hut tief in die Stirn gezogen, den Kragen aufgestellt, und er rannte. Ich lief ihm nach und sprach ihn an. Er flüsterte mir zu, ich solle weggehen, ihn alleinlassen.

»Heute ist keine Schule«, sagte er.

Ich kam an dem kleinen Kaufhaus vorbei. In den Fensterhöhlen, hinter zersplitterten Scheiben, standen deutsche uniformierte Sturmsoldaten und warfen Kleider und Haushaltsgegenstände von den oberen Stockwerken auf die Straße. Polizisten bildeten eine Kette, damit niemand von den durch die Luft fliegenden Gegenständen getroffen wurde. Als das ganze Kaufhaus leergeräumt war, traten die Polizisten zurück, und die Gaffer bedienten sich von den großen Haufen der Waren auf dem Gehsteig.

Ich lief weiter. Da war unser Gebetsraum, im Parterre eines Häuserblocks. Davor die Thorarollen, die sie aus dem Schrein gerissen hatten, in Flammen, mitten auf der Straße. Diese Szene verfolgte mich noch lange Jahre, bis ich selbst zu einem späteren Zeitpunkt meines Lebens einer Synagoge eine Gesetzesrolle stiften konnte.

Zu Hause waren meine Mutter, meine beiden jüngeren Brüder und meine Schwester versammelt. Meine Mutter und ich weinten. Zum erstenmal sah ich meine Mutter weinen.

Mein Vater hielt sich versteckt. Drei Tage und Nächte versteckte er sich in einem nahegelegenen Wäldchen. Ich brachte ihm Essen, als es dunkel geworden war – er hatte meiner Mutter die genaue Stelle genannt. Wenn die Deutschen irgendwo einen Juden sahen, verhafteten sie ihn und verschleppten ihn ins Konzentrationslager.

Später versteckte sich mein Vater mit einigen anderen Männern in der Wohnung einer verwitweten Lehrerin aus meiner Schule. Am Sabbatmorgen hielten wir dort einen Gottesdienst ab. Zufällig war es der erste Jahrestag meiner Bar Mizwa. Ich las den entsprechenden Abschnitt der Thora vor, doch ich las den Text nicht von einer richtigen Rolle aus Pergament ab, denn es gab keine mehr, und ich mußte leise sprechen, damit die Nachbarn nichts hörten.

In dieser Nacht wurden zehn oder mehr Juden in Breslau zu Tode geprügelt, und etwa fünfundzwanzig begingen Selbstmord. Alle Synagogen standen in Flammen.

Am 12. Dezember erfuhr ich von meinem großen Glück, daß ich einen Platz auf einem der Kindertransporte nach England bekommen hatte. Am 15. Dezember reiste ich ab. Mein zweiter Bruder, neun Jahre alt, kam im April 1939 ebenfalls nach England. Im Juni nahm meine Mutter meinen kleinen Bruder und meine Schwester – sie waren Zwillinge, dreieinhalb Jahre alt – und brachte sie zum Bahnhof, als ein weiterer Kindertransport abging. Sie drückte sie einfach in das Gedränge der anderen Kinder hinein und ging weg. So konnten auch sie England erreichen und waren in Sicherheit.

In der Zwischenzeit hatte mein Vater in der Neujahrsnacht 1939/40 die Grenze nach Belgien heimlich zu Fuß überquert und war von dort nach Frankreich gelangt. Nachdem meine Mutter die Zwillinge auf den Weg gebracht hatte, ging sie nach Polen, von wo sie nach Paris zu meinem Vater zu kommen hoffte. In Paris wollten sie auf die Papiere zur Emigration nach Palästina warten, die jedoch niemals kamen.

Als der Krieg ausbrach, saßen sie in der Falle. Mein Vater hatte sich bei der französischen Armee als Freiwilliger gemeldet. Am 23. Juni 1942 wurde er verhaftet und an die Deutschen ausgeliefert, die ihn am 27. Juli 1942 nach Auschwitz deportierten, wo er ermordet wurde.

Meine Mutter wurde 1939 von den Deutschen verhaftet und verbrachte die Kriegsjahre in Ghettos und Lagern, zuletzt im Vernichtungslager Auschwitz. Sie überlebte den berüchtigten Todesmarsch von Auschwitz nach Sachsen im Dezember 1944.

Am Ende des Krieges kam ich als Mitglied der Alliierten Kontrollkomission nach Deutschland. Nach langer Suche fand ich meine Mutter in einem Vertriebenenlager. Sie war eine gebrochene Frau. Ich nahm sie mit nach England, wo sie einige Jahre später an den Folgen der Qualen, die sie durchgemacht hatte, starb.

Ich heiratete eine Frau, die zwei Wochen vor Kriegsausbruch aus Wien entkommen war, und wurde glücklich mit ihr. Wir haben drei Kinder.

Im Lauf der Jahre verlieren die Erinnerungen an Schärfe; ein Ereignis wie die »Kristallnacht« wird mir in seiner Monstrosität, seiner Obszönität immer unverständlicher, aber Schmerz und Trauer werden nicht geringer.

Wie soll ich unseren Kindern erklären, daß ihre Großeltern und die anderen Mitglieder der Familie nicht deshalb ums Leben kamen, weil es dem Staat nicht gelungen war, irgendwelchen betrunkenen Pöbel unter Kontrolle zu halten, sondern weil ein ganzes Volk von einer legalen Regierung an Leute ausgeliefert worden war, an Leute, die im staatlichen Auftrag Juden jagten und Juden töteten – mit dem einzigen Ziel, daß jeder Jude, ob Mann,

Frau oder Kind, in eigens für ihn gebauten Schlachthäusern vernichtet und ausgelöscht wurde.

Was vor fünfzig Jahren begann, kann kein Jude jemals vergessen.

Namens- und Begriffserläuterungen

Bar Mizwa: Mit Vollendung ihres dreizehnten Lebensjahrs werden die Jungen in die Gemeinde aufgenommen; dies wird am Sabbat, der dem Geburtstag folgt, in der Synagoge verkündet.

Chamberlains berühmte Rede: Am 3. September 1939 erklärte der britische Premierminister Chamberlain in einer bewegenden Rede im Radio Deutschland den Krieg.

Chanukka: das achttägige jüdische Lichterfest, das meist im Dezember gefeiert wird.

Cheder: hebräische Elementarschule für Jungen.

Chumesch: Tora.

Cramer, Hans Donald: Das Schicksal der Goslarer Juden 1933–45. Eine Dokumentation. Goslar 1986.

Eichmann: Von August 1938 bis September 1939 war Karl Adolf Eichmann Leiter der »Zentralstelle für jüdische Auswanderung« in Wien, die Auswanderungsgenehmigungen für Juden zunächst nur aus Österreich, später auch aus der Tschechoslowakei und schließlich aus dem gesamten Reichsgebiet erteilte.

Frohwein's: berühmte koschere Metzgerei in London.

Fünfte Kolonne (Fifth column): Als »Fünfte Kolonne« wurden die in England vermuteten Spione aus Deutschland bezeichnet, die im Fall einer deutschen Invasion dem Feind Hilfe leisten würden.

Gojim (Plural von Goj): Nichtjuden.

Hachshara: wörtlich: »Tauglichmachung«; Vorbereitung für ein Arbeitsleben in Palästina.

Haggada: Die Pessach-Haggada schildert die Befreiung der Juden aus der ägyptischen Sklaverei und enthält die Liturgie des Pessachfestes.

Haman: nach dem Bericht im Buch Esther der erste Minister des Xerxes. Haman wollte den König zur Vernichtung aller Juden im persischen Reich bewegen – dies verhinderte Esther. Haman wurde gehängt.

Hoare, Sir Samuel: britischer Innenminister von 1937 bis 1939, der sich verstärkt für die Rettung von Flüchtlingen aus Deutschland eingesetzt hat.

Hohe Feiertage: die mit Rosch-ha-Schana beginnenden und mit Jom Kippur (Versöhnungstag) endenden zehn Bußtage.
Iwrit: das Hebräische.
Kaschruth: die jüdischen Speisegebote.
Matzen: ungesäuertes Brot.
Pessachmahl: Am ersten Vollmond im Frühling wird Pessach gefeiert; das mehrtägige Fest erinnert an den Auszug der Juden aus Ägypten. Am ersten Abend wird im Familienkreis ein Lamm oder eine junge Ziege zusammen mit ungesäuertem Brot und bitteren Kräutern gegessen.
Reise am Sabbat: Nach jüdischem Glauben ist es am Sabbat, dem Ruhetag, nicht erlaubt, zu fahren oder mehr als zweitausend Schritte zu gehen.
Rosch-ha-Schana: das jüdische Neujahrsfest, das im September oder im Oktober gefeiert wird.
Schawuot: die mittlere von drei großen Ernte- und Wallfahrtsfeiern des Jahres, die zur Erinnerung an die Offenbarung am Berg Sinai im Mai oder im Juni stattfindet.
Schofar: Trompeteninstrument, das in orthodoxen Gegenden unter anderem zur Ankündigung des Sabbat geblasen wird.
Schul: Synagoge.
Sederabend: die häusliche religiöse Feier an den beiden ersten Abenden des Pessach.
Sidur: Gebetbuch.
Tallith: Gebetsmantel.
Tatler: berühmte englische Wochenzeitung.
Wohnung von Juden: Spätestens seit der »Reichskristallnacht« (am 9. November 1938) war es faktisch möglich, Juden aus ihren Wohnungen auszuweisen. In einem Erlaß vom 30. April 1939 heißt es schließlich: »Juden genießen gegenüber einem nichtjüdischen Vermieter keinen gesetzlichen Mieterschutz, wenn der Vermieter durch eine Bescheinigung der Gemeindebehörde nachweist, daß die anderweitige Unterbringung des Mieters gesichert ist.« (vgl. Das Sonderrecht für die Juden im NS-Staat. Herausgegeben von Joseph Walk. Karlsruhe 1981).
Youth-Aliyah (deutsch: Jugend-Alija): die unter dem Einfluß der zionistischen Bewegung stehende Einwanderung von jungen Juden nach Palästina.

Bildquellennachweis

Hulton Deutsch Collection: Abb. 14
Inge Sadan: Abb. 1
Wiener Library: Abb. 2, 3, 4, 5, 6, 7, 8, 9, 10, 11, 12, 13

Gegen das Vergessen – Taschenbücher über das Dritte Reich

Jan-Pieter Barbian:
Literaturpolitik im Dritten Reich
dtv 4668

Hans Buchheim/ MartinBroszat/Hans-Adolf Jacobsen/ Helmut Krausnick:
Anatomie des SS-Staates
dtv 4637

Martin Broszat:
Der Staat Hitlers
dtv 4009
Nach Hitler
dtv 4474

Dimension des Völkermords
Hrsg. v. Wolfgang Benz
dtv 4690

Karl Dietrich Erdmann:
Deutschland unter der Herrschaft des Nationalsozialismus
dtv 4220

Lothar Gruchmann:
Der Zweite Weltkrieg
dtv 4010

Rudolf Höß:
Kommandant in Auschwitz
Autobiographische Aufzeichnungen
dtv 2908

Ian Kershaw:
Hitlers Macht
dtv 4582

Kurt Meier:
Kreuz und Hakenkreuz
Die evangelische Kirche im Dritten Reich
dtv 4590

Die Rückseite des Hakenkreuzes
Absonderliches aus den Akten des Dritten Reiches
Hrsg. v. Beatrice und Helmut Heiber
dtv 2967

Bernd Rüthers:
Entartetes Recht
dtv 4630

Legenden, Lügen, Vorurteile
Ein Wörterbuch zur Zeitgeschichte
Hrsg. v. Wolfgang Benz
dtv 4666

Die Dachauer Hefte

Heft 1: **Die Befreiung**
dtv 4606

Heft 2: **Sklavenarbeit im KZ**
dtv 4607

Heft 3: **Frauen. Verfolgung und Widerstand**
dtv 4608

Heft 4: **Medizin im NS-Staat**
dtv 4609

Heft 5: **Die vergessenen Lager**
dtv 4634

Heft 6: **Erinnern oder Verweigern**
dtv 4635

Heft 7: **Solidarität und Widerstand**
dtv 4667

Heft 8: **Überleben und Spätfolgen**
dtv 4705

358 Zeitalter der Nationalstaaten / Balkan (1871–1908)
ÖSTERREICH-
UNGARN
RUSSLAND
SERBIEN
BULGARIEN
RUMÄNIEN
OSMANISCHES REICH
GRIECHENLAND
Die politische Neuordnung des Balkans durch den Berliner K
dtv-Atlas zur Weltgeschichte
Karten und chronologischer Abriss
Von der Französischen Revolution bis zur Gegenwart
Band 2
dtv-Atlas zur Weltgeschichte
von W. Hilgemann und H. Kinder
Band 1: Von den Anfängen bis zur Französischen Revolution
Band 2: Von der Französischen Revolution bis zur Gegenwart
Originalausgabe dtv 3001/3002

Deutsche Geschichte der neuesten Zeit
vom 19. Jahrhundert bis zur Gegenwart

Originalausgaben,
herausgegeben von
Martin Broszat,
Wolfgang Benz und
Hermann Graml
in Verbindung mit
dem Institut für Zeitgeschichte, München

Peter Burg:
Der Wiener Kongreß
Der Deutsche Bund
im europäischen
Staatensystem
dtv 4501

Wolfgang Hardtwig:
Vormärz
Der monarchische Staat
und das Bürgertum
dtv 4502

Hagen Schulze:
Der Weg zum Nationalstaat
Soziale Kräfte und
nationale Bewegung
dtv 4503

Michael Stürmer:
Die Reichsgründung
Deutscher Nationalstaat und europäisches
Gleichgewicht im
Zeitalter Bismarcks
dtv 4504

Wilfried Loth:
Das Kaiserreich
Liberalismus, Feudalismus, Militärstaat
dtv 4505 (i. Vorb.)

Richard H. Tilly:
Vom Zollverein zum Industriestaat
Die wirtschaftlich-soziale Entwicklung
Deutschlands 1834 bis 1914
dtv 4506

Helga Grebing:
Arbeiterbewegung
Sozialer Protest und
kollektive Interessenvertretung bis 1914
dtv 4507

Hermann Glaser:
Bildungsbürgertum und Nationalismus
Politik und Kultur
im Wilhelminischen
Deutschland
dtv 4508

Michael Fröhlich:
Imperialismus
Deutsche Kolonial- und
Weltpolitik 1880 – 1914
dtv 4509

Gunther Mai:
Das Ende des Kaiserreichs
Politik und Kriegführung
im Ersten Weltkrieg
dtv 4510

Deutsche Geschichte
der neuesten Zeit
Klaus Schönhoven:
Reformismus
und Radikalismus
Gespaltene Arbeiterbewegung
im Weimarer Sozialstaat
dtv

Klaus Schönhoven:
Reformismus und Radikalismus
Gespaltene Arbeiterbewegung im Weimarer
Sozialstaat
dtv 4511

Horst Möller:
Weimar
Die unvollendete
Demokratie
dtv 4512

Peter Krüger:
Versailles
Deutsche Außenpolitik
zwischen Revisionismus
und Friedenssicherung
dtv 4513

Corona Hepp:
Avantgarde
Moderne Kunst,
Kulturkritik und
Reformbewegungen
nach der Jahrhundertwende
dtv 4514

Deutsche Geschichte der neuesten Zeit
vom 19. Jahrhundert bis zur Gegenwart

Fritz Blaich:
Der Schwarze Freitag
Inflation und Wirtschaftskrise
dtv 4515

Martin Broszat:
Die Machtergreifung
Der Aufstieg der NSDAP und die Zerstörung der Weimarer Republik
dtv 4516

Norbert Frei:
Der Führerstaat
Nationalsozialistische Herrschaft 1933 bis 1945
dtv 4517

Bernd-Jürgen Wendt:
Großdeutschland
Außenpolitik und Kriegsvorbereitung des Hitler-Regimes
dtv 4518

Hermann Graml:
Reichskristallnacht
Antisemitismus und Judenverfolgung im Dritten Reich
dtv 4519

Hartmut Mehringer/
Peter Steinbach:
Emigration und Widerstand
Das NS-Regime und seine Gegner
dtv 4520 (i. Vorb.)

Lothar Gruchmann:
Totaler Krieg
Vom Blitzkrieg zur bedingungslosen Kapitulation
dtv 4521

Wolfgang Benz:
Potsdam 1945
Besatzungsherrschaft und Neuaufbau
dtv 4522

Wolfgang Benz:
Die Gründung der Bundesrepublik
dtv 4523

Dietrich Staritz:
Die Gründung der DDR
Von der sowjetischen Besatzungsherrschaft zum sozialistischen Staat. dtv 4524

Kurt Sontheimer:
Die Adenauer-Ära
Grundlegung der Bundesrepublik
dtv 4525

Manfred Rexin:
Die Deutsche Demokratische Republik
dtv 4526 (i. Vorb.)

Ludolf Herbst:
Option für den Westen
Vom Marshallplan bis zum deutsch-französischen Vertrag
dtv 4527

Peter Bender:
Neue Ostpolitik
Vom Mauerbau bis zum Moskauer Vertrag
dtv 4528

Thomas Ellwein:
Krisen und Reformen
Die Bundesrepublik seit den sechziger Jahren
dtv 4529

Helga Haftendorn:
Sicherheit und Stabilität
Außenbeziehungen der Bundesrepublik zwischen Ölkrise und NATO-Doppelbeschluß
dtv 4530

Inge Deutschkron im dtv

Foto: Stefanie Herken

Ich trug den gelben Stern

Ein unprätentiöser Bericht über das verzweifelte Leben und Überlebenwollen eines jüdischen Mädchens in Berlin. Entrechtet und verfolgt, befürchtet die Familie jeden Moment Deportation und Tod. Ein Leben in der Illegalität beginnt, unter fremder Identität, lebensbedrohend auch für die Freunde, die ihnen in beispielhafter Solidarität Beistand gewähren. Nach Jahren quälender Angst vor der Entdeckung haben Inge Deutschkron und ihre Mutter den bürokratisierten Sadismus des nationalsozialistischen Systems überlebt: zwei unter den 1200 Juden in Berlin, die dem tödlichen Automatismus entronnen sind.
dtv 30000

Mein Leben nach dem Überleben

Die Fortsetzung von ›Ich trug den gelben Stern‹. Wie richtet sich Inge Deutschkron ihr Leben nach 1945 ein? Wie geht ihre Geschichte weiter? »Ich malte mir ein Idealbild vom neuen Deutschland aus – ein Deutschland, in dem es einen neuen Geist geben würde. Erfahrung hatte ich zwar im Kampf ums Überleben, aber, wie sich bald zeigen sollte, war ich sehr naiv, was des Lebens Wirklichkeit betraf.« Die streitbare Journalistin gibt in diesen Aufzeichnungen ein spannendes Zeitzeugnis der fünf Jahrzehnte von Kriegsende bis in die Gegenwart, die gerade auch in ihren persönlichen Erlebnissen und durch ihre unbestechliche, ungewöhnliche Sichtweise begreifbar werden.
dtv 30460